© Copyright 1986 by:

HORST ZIETHEN VERLAG
D - 5000 Köln 50, Unter Buschweg 17

4. Auflage 1989 (Neuausgabe)

Gesamtherstellung:
Offset-Farbdruck Horst Ziethen
D - 5000 Köln 50

Printed in Germany

ISBN 3 - 921268 - 31 - 1

Redaktion und Buchgestaltung: Horst Ziethen
Textautor: Peter von Zahn

Bildseitentexte: Michael Bengel,
Seiten 48, 81, 86: Gerhard Rakenius

Englisch-Übersetzung: Gwendolen Freundel
Französisch-Übersetzung: France Varry

Bildnachweis siehe letzte Seite

Farbiges Deutschland

Die Bundesrepublik von der Küste zu den Alpen

Inhaltsverzeichnis/Registre

Aachen	77, 78, 79, 80
Ahrtal	89
Aschaffenburg, Schloß Johannesburg	118
Augsburg	170
Bacharach	111
Bad Ems	102
Baden-Baden	144
Bad Neuenahr-Ahrweiler	88
Balingen, Zollernschlößchen	143
Bamberg	175
Bayreuth	176
Berchtesgaden	182
Berlin	48, 49, 50, 51, 52/53, 54
Bonn	81, 82, 83, 84/85
Braubach, Marksburg	106
Braunschweig	47
Bremen	40, 41
Brühl, Schloß Augustusburg	76
Burg Eltz	97
Burg Hohenzollern	142
Burg Katz/Loreley	107
Burg Rheinstein	112
Celle	46
Cochem, Burg	95
Daun, Maare	91
Dietkirchen, alte Stiftskirche	103
Donaudurchbruch bei Kelheim	177
Dortmund	62
Duderstadt	56
Duisburg	64
Düsseldorf	68, 69
Effelsberg, Radioteleskop	90
Essen	63
Ettal, Kloster	160
Externsteine/Teutoburger Wald	59
Frankfurt am Main	116/117
Freiburg	147
Garmisch-Partenkirchen, Zugspitze	165
Gutachtal/Schwarzwald	145
Hamburg	36, 37, 38, 39
Hameln	57
Hannover	44/45
Heidelberg	124/125
Hildesheim	57
Karlsruhe	135
Kassel, Herkulesdenkmal	55
Kaub	110
Kelheim, Befreiungshalle	179
Kiel, Kieler Woche	33
Koblenz	100/101
Köln	72, 73, 74/75
Königssee	184
Königswinter, Schloß Drachenburg	86, 87
Krefeld, Haus Greiffenhorst	66
Limburg	104
Lindau/Bodensee	154/155
Loreley	108/109
Ludwigsburg, Schloß	139
Lübeck	35
Lüneburg	42
Lüneburger Heide	43
Mainau	153
Mainz	114
Maria Laach, Abtei	98, 99
Meersburg	152
Mespelbrunn, Schloß	119
Michelstadt	120
Mittenwald	163, 164
Mönchengladbach	67
München	166/167, 168, 169
Münster	60
Neuharlingersiel	34
Neuss	70
Niederwald-Denkmal	113
Nürnberg	172/173, 174
Oberammergau	162
Passau	180
Porta Westfalica	58
Ramsau, Kunterwegkirche	183
Regensburg	178, 179
Rothenburg ob der Tauber	131, 132, 133
Saarbrücken	123
Schloß Bürresheim	96
Schloß Herrenchiemsee	181
Schloß Linderhof	158, 159
Schloß Neuschwanstein	156, 157
Schloß Nordkirchen/Münsterland	61
Schloß Stolzenfels/Rhein	105
Schwarzwald	148/149, 150
Schwäbisch Hall	134
Sigmaringen	151
Speyer	122
Stuttgart	136, 137, 138
Trier	92/93, 94
Tübingen	140/141
Ulm	171
Wiesbaden, Kurhaus	115
Wieskirche/Oberbayern	161
Worms	121
Wuppertal	71
Würzburg	126/127, 128, 129, 130
Xanten	65

Peter von Zahn

Farbiges Deutschland

Die Bundesrepublik von der Küste zu den Alpen

 Horst Ziethen Verlag · Köln

Peter von Zahn

Deutschland – Menschen, Landschaft und Städte wie aus dem Märchen

Es ist nicht einfach, festen Boden unter den Füßen zu gewinnen, wenn man von Deutschland spricht. Da, wo wir unsere Betrachtung beginnen, im Norden, ist es eben erst aus dem Meer gestiegen. „Eben erst" heißt, daß es noch vor wenigen zehntausend Jahren von einer dichten Eiskruste bedeckt war, wie eine Sandtorte von Zuckerguß. Der Fachmann sieht es dem Lande an. Das Eis hat abgeschliffenes Felsgeröll hinterlassen, als es schmolz und sich zurückzog.

Das Nordmeer reichte bis in unsere historische Zeit tief ins Land hinein. Wo jetzt in Schleswig-Holstein eine flache, grüne Ebene über einen Brandungsstreif aufs Wasser blickt, zeigen die Karten des späten Mittelalters ein Inselgewirr. Nur allmählich verwandelte es sich durch Eindeichungen in zusammenhängendes Land. So richtig fester Boden war das nicht; er konnte jederzeit wieder ans Meer verloren gehen. Die Sagen der Nordseeküste erzählen von Wasser und Sturm und dem unablässigen Kampf des Menschen um sein Stückchen Land und die Weide für das Vieh.

Der Menschenschlag, der sich hier bildete, hat eine Menge Ecken und Kanten. Die Häuser stehen einzeln auf niedrigen Bodenerhebungen. Manche standen da schon vor tausend Jahren. Bei einer Sturmflut klopft das Meer an Tür und Küchenfenster und versucht, das Stroh aus dem Dach zu reißen. Eine Kette von Inseln ist dem Festland vorgelagert. Das Leben ihrer Bewohner würde sich heute fast noch so abspielen wie einst, in zeitloser Einsamkeit, wenn nicht seit hundert Jahren im Sommer immer stärker ein Sturm vom Festland herwehte; dann überschwemmt die Flut der Urlauber die Inseln an der Nordseeküste. Leute aus dem Binnenland tummeln sich in der Brandung und liegen erst blaß und dann braun im Sand der Dünen. Zu Herbstanfang haben sie eine Stange Geld hinterlassen, die den Einheimischen beim Nachzählen ein lächelndes Kopfschütteln abnötigt.

Danach sind die wieder unter sich, fahren zum Fischfang, melken das Vieh, befestigen die Dünen für die Winterstürme und trinken schon am Nachmittag ihren Tee mit viel Rum darin. Die Balken biegen sich, wenn dann Märchen über die Sommergäste aufgetischt werden, und keinen wundert es, wenn beim Klönen und Rumtrinken der Boden unter den Füßen verloren geht.

Wir nehmen jetzt etwas vorweg. Die Deutschen trinken Rum nur in Küstennähe. Landeinwärts genehmigen sie sich zum Bier einen Klaren, weiter im Süden nach dem Bier einen Obstler-Schnaps. Den trinken sie auch im Westen des Landes. Aber nicht, um dem Bier nachzuhelfen, sondern abwechselnd mit Wein. Es gibt Provinzen, zum Beispiel am Main in Franken, wo zwischen Wein und Bier tagein, tagaus eine schwierige Wahl zu treffen ist, und es gibt Landstriche, etwa bei Köln, wo obergäriges und untergäriges Bier um den Gaumen des Reisenden kämpfen.

Der Reisende tut gut daran, sich an die Getränke der Gegend zu halten, in der er sich gerade aufhält. Nur dort entwickeln sie ihren vollen Geschmack. Will er aber Champagner oder schottischen Whisky, so sind auch die flugs zur Stelle. Es gibt nichts, was es in der Bundesrepublik nicht zu kaufen gäbe. Damit ist keine allgemeine Korruption angedeutet. Aber puritanische Beschränkungen der Lebensfreude zu gewissen Tageszeiten oder an bestimmten Tagen, so wie man sie in angelsächsischen und skandinavischen Ländern für angebracht hält, bleiben dem Reisenden durch das Schlaraffenland zwischen Nordsee und Alpen erspart.

Es hat Zeiten in Europa gegeben, da liefen die Leute zusammen, um die Deutschen saufen zu sehen. Das ist vorbei. Wer zum Oktoberfest nach München geht, beteiligt sich nach wenigen Maß Bier an der allgemeinen Fröhlichkeit und verliert den prüfenden Blick für völkerkundliche Eigentümlichkeiten. Auch die gerühmte Trinkfestigkeit der Burschenschaftler in Heidelberg oder Bonn ist ein Ding des vergangenen Jahrhunderts. Vielmehr sieht man dort Studenten und Dozenten morgens heimkehren, berauscht von einem Dauerlauf über fünf Kilometer. Danach trinken sie höchstens ein Wässerchen aus einer der vielen Mineralquellen des Landes.

Das Unerwartete ist in Deutschland die Regel. Dem langjährigen französischen Botschafter Francois-Poncet wird die Äußerung zugeschrieben: „Wenn man von einem Deutschen erwartet, daß er sich teutonisch gibt, reagiert er wie ein Römer. Versucht man es dann mit lateinischer Logik, entschlüpft er plötzlich mit slawischem Charme."

Im Hexenkessel der Jahrhunderte wurden die Gene der Deutschen durcheinander gequirlt. Ein kluger Beobachter kann sie für einen Augenblick ans Licht halten. Dann begreift man, daß die Deutschen ein Sammelsurium europäischer Eigentümlichkeiten sind. Ihre Zivilisation entstammt dem römischen Weltreich. Es brachte mit dem Wein auch das Christentum zu den Germanen. Die gaben es den slawischen Stämmen an der Elbe und weiter östlich weiter. An Feuer und Blut wurde dabei nicht gespart. Vielleicht, damit sich das Kreuz besser einpräge.

Kehren wir noch einmal zu den Bewohnern der Küste an der Nordsee zurück. Die Römer sind mit ihrer tüchtigen Militärverwaltung nie in die norddeutsche Tiefebene gelangt. Die Nachkommen der ungezähmten Germanen, die dort leben, pochen auf ihre Unabhängigkeit und vergessen nicht, auf den Giebeln ihrer riesigen Fachwerkhäuser gekreuzte Pferdeköpfe anzubringen – nicht gerade ein christliches Symbol. Sie nannten sich Sachsen oder hießen Angeln. Nachdem sie als Vorläufer der skandinavischen Wikinger jenseits der Nordsee ein beträchtliches Stück von England besiedelt hatten, gingen sie als Angelsachsen in die Weite der Weltgeschichte ein. Sie gaben ihr einen Verlauf, den die daheimgebliebenen Sachsen nicht ahnen konnten.

Nach der zwangsweisen Bekehrung durch Karl den Großen wurden sie in der entgegengesetzten Himmelsrichtung tätig und brachten den slawischen Stämmen zwischen Ostsee und Elbe das Vaterunser bei. Sie bauten Festungen mit Blick nach Osten, und klobige Wehrkirchen, von denen die eine oder andere heute noch steht. Ihr bedeutendster Herzog hieß mit Beinamen „der Löwe". Seine Frau war eine englische Prinzessin, die vermutlich einen halben Kopf größer war als der streitbare Ehegemahl. Man kann die beiden in Stein gehauen im Dom von Braunschweig liegen sehen und muß sich vorstellen, daß unter ihrer Herrschaft der große Prozeß der Mischung zwischen Germanen und Slawen begann. Er hat sich fortgesetzt bis in unser Jahrhundert. Die Bürgerhäuser in Lübeck, Hamburg und Bremen sahen die blonden Dienstmädchen mit den breiten Backenknochen aus den Dörfern Mecklenburgs recht gern und ließen sie mehr sein als nur das Aschenbrödel. Man lese das nach in den „Buddenbrooks" bei Thomas Mann.

Einwanderer vom Rhein kamen. Sie gründeten inmitten der slawischen Dörfer zwischen Elbe und Weichsel ihre Städte nach deutschem, und Klosterschulen nach lateinischem und Verwaltungskanzleien nach römischem Recht. Sie heirateten. Sie vererbten ihren Kindern eine gut singbare Sprache. Ihr Adel nannte sich nach den slawischen Namen der Güter, die er sich nahm. Wenn er sich vorstellte, klang es wie Vogelgezwitscher im Frühling. Zitzewitz? Nein, Itzenplitz!

Da, wo Herzog Heinrich der Löwe mit seinen Städtegründungen begann, da steht heute ein garstiger Zaun und endet die Bundesrepublik. Jenseits von Gräben und Wachtürmen sieht man durchs Fernrohr die Außenposten des russischen Weltreichs. Die Slawenpolitik der Deutschen ist eine lange Geschichte mit ungutem Ausgang. Sie hatte nach acht Jahrhunderten ins Debakel geführt. Aber sie ist nicht ohne ein freundliches Nachspiel. Denn nach 1945 strömten zehn Millionen Nachkommen der Deutschen und Slawen Osteuropas in den Westen. Ihre Eingliederung wurde zur Bereicherung der neuen Heimat.

Vierzig Jahre später kümmert sich die jüngere Generation bereits nicht mehr um slawische, deutsche oder römische Ahnen, sondern setzt den Prozeß der Vermischung und Verschmelzung fort, der ungeachtet des Pillenknicks Europas Zukunft sein wird. Diese Generation nimmt es als gegeben hin, daß Heinrich des Löwen stolzeste Gründung, die Stadt Lübeck, nicht am Beginn der Bahnstrecke nach Osten liegt, sondern an ihrem Endpunkt. Der Blick der Deutschen – übrigens auch der in der DDR – ist nach Westen gewandt.

Aber schon früher fuhr man von Lübeck aus nicht so sehr mit der Bahn, als vielmehr zur See. Hier besteigt man die Fähre nach Skandinavien und blickt, leicht ermattet von zuviel Smorgasboard, in die

Tiefen der deutschen Geschichte zurück. Lübeck war drei Jahrhunderte lang das Zentrum der Hanse – eines Vereins, den man als einen äußerst gelungenen Vorläufer der heutigen Europäischen Gemeinschaft bezeichnen kann. Es war ein Sicherheitsbund handeltreibender Kaufmanns-Städte. Er erstreckte sich von Flandern quer durch Nordeuropa bis nach Nowgorod und ins norwegische Bergen. Was heute in Brüssel beabsichtigt ist, wurde damals in Lübeck praktiziert – der Handel mit Hering, Wolle, Salz und Getreide wurde nach einheitlichen Regeln betrieben. Er brachte den Ratsherren Einfluß, den Handelshäusern Reichtum und den Bürgern jenen backsteinernen Stolz, den das Marientor, die Kirchen und das alte Rathaus von Lübeck ausstrahlen.

Die beiden anderen großen Seehäfen der Bundesrepublik, Hamburg und Bremen, fühlen sich immer noch vom Geist der Hanse angeweht. Ihre Wagen tragen das H für Hanse auf dem Nummernschild. Es sind nach wie vor Stadtrepubliken, wie es sonst in Europa nur Venedig und Genua waren. Man möchte sie dazu beglückwünschen, daß ein Staatsbesuch der englischen Königin in der Bürgerschaft zunächst Freude und dann eine heftige Diskussion darüber auslöst, ob der Erste Bürgermeister die Royalty oben auf der Rathaustreppe stehend empfangen oder ihr entgegenschreiten soll. Der Erste Bürgermeister von Hamburg ist zwar für anderthalb Millionen Hanseaten nur Gemeindevorsteher, seinem verfassungsmäßigen Rang nach steht er aber mit dem Ministerpräsidenten des großen Freistaates Bayern auf gleicher Stufe. Die Reize und Freuden Deutschlands liegen darin begründet, daß es sich nicht über einen Kamm scheren läßt.

Wir haben uns schon zu lange an der Küste und an der Grenze aufgehalten. Es wird Zeit, ins Innere dieses geheimnisvollen Landes vorzustoßen.

„Der Wald steht schwarz und schweiget
 und aus den Wiesen steiget
 der weiße Nebel wunderbar".

Matthias Claudius hat den sanften Schauer umschrieben, den so manche deutsche Landschaft in uns auslöst – und nicht nur in uns. Die Nachbarn im Westen und Süden haben häufig Betrachtungen angestellt über das rätselhafte Verhältnis der Deutschen zur Natur, genauer gesagt, zu ihrem Wald. Sie haben manchmal die Wälder zwischen Harz und Spessart, zwischen Eifel und Sauerland beschrieben, als sei das immer noch der Sitz von Riesen und Feen, ein Unterschlupf für Zwerge und Kobolde.

Sie stellen es so dar, als habe sich der Deutsche im Verlauf seiner Geschichte alle hundertfünfzig Jahre einmal in die Urwälder seiner Seele zurückgezogen, um daraus wie ein Berserker hervorzubrechen und wild um sich zu schlagen. Wir vermögen nicht mehr so recht an diese romantische Beziehung zwischen Wald und Barbarei zu glauben, geben aber zu, daß für viele Deutsche der Gang – nein, die Wanderung – durch den Wald ein läuterndes Ritual darstellt: gern sieht er dabei den Turm einer verwitterten Burg über die Baumwipfel ragen und hört die Glocken der Abtei aus dem Waldgrund heraufklingen.

Doch vergleicht man den Waldmythos mit der Wirklichkeit, so sieht alles etwas anders aus: Saurer Regen und giftige Abgase haben dem Prunkstück der deutschen Seele zugesetzt. Der Wald ist ohnehin kein Urwald mehr, in den sich die römischen Legionen ungern hineinwagten, kein Dickicht, das im Mittelalter die Köhler mit ihrem Qualm erfüllten, sondern er ist ein Forst mit Nummern und bunten Bezeichnungen, aufgestellt wie eine Kompanie preußischer Soldaten. Ein Paradeplatz ist's für Kiefern oder Fichten in Reih und Glied. Mechanisch werden sie in Zeitungspapier verwandelt, auf dem sich fein drucken läßt, wie schlecht es dem deutschen Wald geht. Tatsächlich ist es alarmierend, was Jäger und Förster berichten. Die Anhänglichkeit des Deutschen an seinen Wald sollte sich in gesteigerte Erfindungsgabe seiner Chemiker und Landwirte verwandeln, damit Odenwald, Schwarzwald und Bayrischer Wald gesunden.

Wald ist potentielle Kohle. Unter dem Gebiet nördlich der Ruhr liegen enorme Wälder, die sich vor Millionen von Jahren durch das Gewicht tausend Meter dicker Gesteins-Schichten zusammenpressen ließen.

Das war die eine Grundlage für die deutsche Schwerindustrie: aufgespeicherte Massen von schwarzer Energie. Die andere Voraussetzung war der Zustrom von jungen Muskelmännern aus den Ostprovinzen – billig und willig, fleißig und genügsam, hundert Jahre lang. Die dritte Voraussetzung war die technische Fertigkeit der Ingenieure und Bergleute, welche die Kohle aus ihrer tiefen Verborgenheit holten und dann verhütteten zu Eisen und Stahl. Und schließlich gehörte dazu noch die Nähe der anderen Industriegebiete Europas; die Schwergewichte von Eisen, Koks und stählernen Maschinen schwammen über die Wasserwege Ruhr und Rhein zu dem, der sie brauchte. Preiswert.

Das ist in vier Punkten das Geheimnis der Ruhrindustrie. Daß die europäischen Nachbarn aus ihr ein Monster und einen Mythos machten, versteht sich bei der märchenbildenden Tendenz des Deutschen von selbst. Die Landschaft trägt zu dem Gefühl bei, keinen festen Boden unter den Füßen zu haben. Plötzlich senkt sich das Straßenpflaster oder muß eine Häuserzeile geräumt werden, weil tief unter ihr ein verlassener Stollen zusammengebrochen ist. Betrachtet man das Revier heute, so ist es ganz und gar nicht bedrohlich. Aber es befindet sich in einer Phase schwieriger Umstellung. Wie alle älteren Industriegebiete beherbergt es zuviel Muskel, zu wenig Mobilität.

Die Menschen an der Ruhr stammen fast alle von Einwanderern ab. Auswanderer aber wollen sie nicht werden. Mit welch rührender Liebe sie ihr Gärtchen hinter der grauen Häuserzeile pflegen! Wie sie es mit Zwergen und Rehen aus Ton bevölkern, mit welcher Befriedigung sie ihre Brieftauben in den Schlag einfallen sehen! Da wird eine Nachricht automatisch zur frohen Botschaft, weil sie angekommen ist.

Die Heimat zwischen Zechen und Hochöfen ist nicht so ansehnlich wie das Tal der Mosel oder die Alpenkette. Aber kann man im Tal der Mosel oder zwischen Garmisch und Oberammergau so hingebungsvoll brüllen, wie die Fans es tun, wenn in der Fußball-Bundesliga die beiden Nachbarvereine Schalke und Borussia Dortmund aufeinander prallen? Im Kampf zwischen Mobilität und Gewohnheit bleibt die letztere meist Sieger.

Der ökonomischen Logik zufolge wird das Ruhrgebiet weiter schrumpfen müssen. Es war hundert Jahre lang das deutsche Kraftwerk. Aber während die deutsche Wirtschaft heute mehr und mehr vom Export feinster Apparate lebt, hat das Revier vornehmlich ein Märchen zum exportieren; das Märchen von der Kohle als dem einzigen deutschen Rohstoff. Mit der gleichen Beharrlichkeit und Zähigkeit, mit der es sich groß geschuftet hat, klammert es sich an alternde Industrien und zwingt mit seinen Wahlstimmen die Politiker zu hohen Subventionen für die Produktion von Dingen, die in Korea oder Indien billiger und besser hergestellt werden können.

Die Kohle-Mär ist eine Unterabteilung des Mythos vom mangelnden deutschen Lebensraum. Er wurde nach Verlust der Hälfte des Lebensraums durch eine kräftige Steigerung des Lebensstandards widerlegt. Offenbar machen Kohle und Ackerfläche den Reichtum eines Volkes aus. Der ergiebigste Rohstoff und seine beste Verarbeitungsstätte zugleich ist das menschliche Hirn.

Ohne volkswirtschaftliche Vorbildung schließt sich dieser Annahme jeden Abend das Publikum an, das die Theater von Nordrhein-Westfalen füllt. Es muß insgesamt wohl soviel Bühnen wie in London geben, und sie sind quer durch das Ruhrgebiet nicht weniger leicht zu erreichen, als die in London. An Kraft der Erzählung, ja, der Mythenbildung kommt vielleicht keine Bühne dem Tanztheater von Pina Bausch gleich. Es hält sich und wird gehalten, wo niemand sein Publikum (oder zahlungswillige Stadtväter) vermuten würde: in Wuppertal, der Stadt der Schwebebahn. Das ist in einem engen Flußtal eine technische Utopie des 19. Jahrhunderts, die von Jules Verne stammen könnte; auch das 20. Jahrhundert wird sie wohl noch überdauern.

Ich hätte die Schwebebahn nicht im Zusammenhang mit dem Ruhrgebiet erwähnt, hätte ich sie an irgend einer anderen Stelle meiner Fabel aufhängen können. Sie ist in ihrer bescheidenen Eleganz kein Teil des Reviers. Dazu gehört vielmehr die Villa Hügel des alten Alfred Krupp. Wem eigentlich wollte er mit diesem Versailles der Eigenheime imponieren? Den Besitzern der alten Wasserschlösser dieses

Landstrichs konnte er es an Grazie der Lebensführung nicht gleich tun. Doch ist das wohl ein Zeitphänomen, daß man, gleich den heutigen Großbanken mit ihren Hauptquartieren in Frankfurt durch erdrückende Größe andeutet, für was man sich hält. Richard Wagners „Ring der Nibelungen", König Ludwig des Zweiten Schloß Neuschwanstein und die Villa Hügel geben sich da nichts nach.

Es war eine Zeitlang auch unter Deutschen üblich, einen Einschnitt ihrer Zivilisation in Gestalt des Limes zu sehen. Mit dieser großen Befestigung schützten die römischen Kaiser das kultivierte Germanien, also Süd- und Westdeutschland, vor den Einfällen aus dem ungezähmten Germanien des Nordens und Ostens. Der Theorie zufolge hatten die Stämme innerhalb des Limes einen vier Jahrhunderte währenden, quasi fliegenden Start in die Kultur. Die außerhalb hinken in ihrer Entwicklung nach und erreichen, hinter vorgehaltener Hand sei es gesagt, die klassischen Maßstäbe Europas bis heute nicht. Nach Ansicht der Kritiker konnten aus Menschen außerhalb des Limes nur Lutheraner und Bilderstürmer, preußische Feldwebel, Bismarckianer oder Sozialdemokraten werden, aber keine gemütlichen Deutschen. Umgekehrt galten seit jeher bei den „Nordlichtern" die Menschen südlich des Mains (also des Limes) als unsichere Kantonisten, harter Arbeit abgeneigt, ungebildet und technisch unbegabt.

Als Theorie von den Ursachen kultureller Unterschiede taugt diese Geschichte nicht viel. Sie erklärt nicht, warum im nüchternen Nord- und Ostdeutschland die Musik von Schütz, Bach, Händel und Wagner entstand, während im technisch „zurückgebliebenen" Süden der Bau von Kathedralen, Patrizierhäusern und Palästen seine feinste Blüte erreichte. Der Beobachtung liegt aber ein richtiger Kern zugrunde. Irgendwie ändert sich an Rhein und Main das Lebensklima. Der Limes erklärt nicht die Entstehung des Protestantismus, aber er trennt – eher zufällig – den nüchternen Protestantismus von den hauptsächlich katholischen Landen. Es ist eine Sache der Heiterkeit. Der Wein wächst außerhalb des Limes nicht, die Verkleinerungs- und Liebkosungssilbe „...lein" des Südens wandelt sich in den weniger anheimelnden Rachen- und Gaumenlaut „...chen", wenn man nach Norden kommt – aber letzten Endes liegt der Unterschied auf einer anderen Ebene, nämlich in der Einstellung zum Heiligen Römischen Reich Deutscher Nation.

Dieser Alptraum der Staatsrechtler umfaßte in seinem tausendjährigen Bestand mehr als das, was heute Nord- oder Süddeutschland genannt wird; ein gutes Stück von Europa gehörte dazu. Sein Schwerpunkt lag nicht da, wo der Kaiser auf seinem Thron saß, also meistens in Wien, und von wo er der Theorie nach über 300 oder mehr große und kleine und kleinste Souveräne herrschte. Er lag in den Bistümern, Reichsstädten und kleinen Residenzen an Rhein und Main. Hier fand das Reich seine gemütliche Ausprägung. Hier verband ein dichtes Geflecht altgeheiligter Rechte und Pflichten den Untertan mit seiner Obrigkeit. Der Kaiser mit seinen Gerichten sollte darüber wachen, daß keiner in seinen Rechten gekränkt wurde. Daraus entstand über die Jahrhunderte ein eher zutrauliches und sorgsames Verhältnis zwischen denen unten und denen oben.

Dagegen wurden die Territorien des Nordostens ganz rational und fortschrittlich in wenigen großen Verwaltungseinheiten regiert. Vom Untertan wurde nicht so sehr ein Pochen auf alte Rechte, als Gehorsam verlangt. Zwischen dem Bauern am Main und seinem Kaiser gab es den Abt der Reichsabtei im Nebental; da war der Kaiser nahe. Zwischen dem Bauern in der Altmark und dem Kaiser aber gab es außer dem zuständigen Grundherren noch den Landrat und hauptsächlich den König von Preußen, und da war der Kaiser weit.

Dieses Reich nannte sich heilig, und verglichen mit den Nationen-Staaten ringsum war es das auch auf seine eigene, märchenhafte Weise. Es war auf Bewahrung, nicht auf Erweiterung aus und es tat niemandem etwas zu Leide. Schon deshalb nicht, weil der Kaiser meistens glücklich war, wenn ihn Franzosen und Schweden in Ruhe ließen, oder Türken und Preußen keine Stücke seiner Länder wegnahmen.

Der Schwerpunkt des alten Reichs lag am Rhein. Dahin ist er mit der Bundesrepublik zurückgewandert. Zwischen die Reihe der alten Münster und Kathedralen von Xanten, Köln, Bonn, Mainz, Speyer und Worms – Stätten der Verehrung römischer Götter bereits zu Zeiten der Legionen – spannt sich heute die Kette der Kraftwerke, Fabrikhallen und Verwaltungs-Hochhäuser, von deren Arbeit die sechzig Millionen der Bundesrepublik leben.

Der Rhein selbst macht das deutlich: meistens überwiegen in seinen Windungen die Lastkähne, manchmal die Ausflugsdampfer – das jedenfalls da, wo der Fremdenführer auf die Berge, Burgen und Weindörfer rechts und links deutet und Sagen erzählen kann. Ihre Anschaulichkeit verdoppelt sich angesichts des ehemaligen Sitzes der alliierten Hochkommissare auf dem Petersberg, im Vorbeigleiten an der Adenauer-Villa oberhalb von Rhöndorf und beim Anblick der berühmten Brücke von Remagen. Auch diese Erinnerungen sind inzwischen in den geschichtlichen Humus eingegangen, aus dem Germany lebt.

Das Verhältnis der Völker zu ihren Hauptstädten ist aufschlußreich. Die Franzosen erheben ihre Hauptstadt flugs zur Hauptstadt der Welt, obwohl sie, wenn sie nicht selbst einer sind, die Pariser nicht ausstehen können. Die Amerikaner halten von ihrer Hauptstadt Washington nicht viel, von der Regierung darin gar nichts. Das sei nicht Amerika. Die Deutschen haben während ihrer gesamten Geschichte nur einmal fünfundsiebzig Jahre lang eine eigentliche Hauptstadt besessen, nämlich Berlin, und die haben sie nicht sonderlich geliebt. Berlin haben sich die Herrscher über die deutsche demokratische Republik inzwischen als Hauptstadt auserkoren, aber sie beherrschen nur eine Hälfte der Viermillionenstadt und müssen sie durch eine Mauer von der anderen Hälfte abschließen, damit ihnen nicht das Volk wegläuft. Westberlin wiederum erhebt den moralischen Anspruch, Hauptstadt des Deutschland zu sein, das nicht DDR ist; aber diese Hauptstadt läge als eine Insel 180 Kilometer weit von der Ostgrenze der Bundesrepublik entfernt und wäre zugänglich für die Westdeutschen nur mit russischer Genehmigung.

Es wird schwierig sein, der Nachwelt eines Tages das Gewirr der Ansprüche auf Berlin, und der Barrikaden gegen die Ansprüche, klar zu machen. Sie wird wissen wollen, wie die Berliner zurechtkamen; unter der Kontrolle von vier Mächten; im Geltungsbereich von sechs verschiedenen Rechtssystemen; mit Verbindungen zur Umwelt, die verbogen, unterbrochen oder verengt sind. Die Konstruktion des Heiligen Römischen Reiches Deutscher Nation ist ein Kinderspiel, verglichen mit dem Status von Berlin. Dennoch, von der Blockade der Zugangswege durch die Russen im Jahre 1948 und anderen zeitweiligen Störungen abgesehen, leben die Berliner, als müsse das so sein. Und natürlich muß es auch so sein, denn auf dem Kopf dieser Stecknadel im Fleisch der DDR balanciert das künstliche Friedensgebäude Europas. Man hofft, daß es durch den grotesken Wettstreit zwischen Ost- und Westberlin um Preußen, die Hohenzollern und Bismarck als ideologische Ziehväter nicht zum Einsturz gebracht wird.

In seinen Mauern – um dieses Klischee hier mal richtig zu verwenden – beherbergt Westberlin zwei Pandas, den Kopf der Nofretete, den Kurfürstendamm und das rasanteste Nachtleben des Kontinents, ein Congress-Zentrum, das aussieht wie ein aufgelaufenes Schlachtschiff, eine türkische Bevölkerung so zahlreich wie die einer Großstadt in der Türkei, unzählige Agenten von zwei Dutzend Geheimdiensten, 65 000 Studenten, die mitteilsamsten Taxifahrer der nördlichen Erdhälfte und eine Wald- und Seenlandschaft wie aus dem Märchen.

Bonn hat es da schwer mitzuhalten, obwohl dieses ehemalige Hauptquartier der II. röm. Legion (Minerva) als Stadt den Berlinern um gute zwölfhundert Jahre voraus ist. Es gibt sich bescheiden. Dabei wird es in den entsprechenden Nachschlagewerken nicht mehr wie zu Beginn der Bundesrepublik als provisorische Hauptstadt geführt. Seine Prachtstraßen stammen noch aus der Zeit, als der regierende Souverän, ein Erzbischof von Köln, Kurfürst und erster Paladin des Reiches war. Zu Gedenkstätten, wie sie unsere Zeit für die häufigen Staatsbesuche ausländischer Potentaten verlangt, hat man sich noch nicht aufschwingen mögen – wohl in dem Gefühl, daß Beethovens Geburtshaus vollkommen ausreicht, in Besuchern einen Anflug von Andacht zu erwecken.

Bombast ist dieser Stadt der Gelehrten und Bürokraten unheimlich; Politiker, die sich daran versuchen, müssen bei der Erinnerung an Adenauers kühlen Witz verstummen. Die Bundesbürger lassen es die Bonner Bürger nicht entgelten, daß sie täglich in den Fernsehnachrichten durch die selben Bilder von denselben sterilen Regierungsgebäuden mit auswechselbaren Figuren davor gelangweilt werden. Die Bonner können ja nichts dafür; ein leidenschaftliches Verhältnis zueinander kommt dabei aber nicht zustande. Bonn tröstet sich mit Drachenfels und Siebengebirge; die Bundesbürger konzentrieren ihre freundlichen Empfindungen, wenn sie der Obrigkeit gegenüber welche haben können, auf die Hauptstadt ihres jeweiligen Landes.

München und Stuttgart sind dafür gute Beispiele. Beides sind ehemalige Residenzen wichtiger Reichsfürsten – München als Regierungssitz ist sogar fast so alt wie der Staat Bayern selbst, und das ist der älteste und ehrwürdigste in Deutschland. Stuttgart entwickelte sich langsamer zur Legende – wohl weil die schwäbischen Landesherren zu Zeiten des Staufergeschlechts kein Sitzfleisch hatten, sondern gern in kaiserlichen Geschäften unterwegs waren, mal in Italien, mal im Heiligen Land. Aber Stuttgart hat aufgeholt. Die sparsamen Schwaben sehen respektvoll zu, wie sich ihre Landeshauptstadt mit aufwendigen Museen schmückt. Sie dulden es sogar, wenn der gegenwärtige Regierungschef so viel außer Landes weilt wie die Stauferfürsten einst; man weiß, daß er es für die Wirtschaft seines Ländles tut, so oft er in China mit Stäbchen ißt oder in Moskau den Kremlführern und dem Wodka zuspricht.

Die Reiselust teilt er mit seinem Kollegen in München; der tut das obendrein im Pilotensitz des Düsenflugzeugs. Das bringt ihn schnell zwischen Tirana, Telaviv, Toulouse und Tokio hin und her, ohne daß er sich dadurch den Augen seiner Bayern lange entziehen oder ihren Herzen entfremden müßte. Ihre Anhänglichkeit verdankt er übrigens nicht nur seinem Talent, große Werke nach Bayern zu ziehen, sondern dem Umstand, daß die Norddeutschen seine Art nicht recht leiden können.

Herzhafte Antipathien zwischen Nord und Süd, Ost und West gehören zu Deutschland wie die böse Fee ins Märchen. Die technische und militärische Überlegenheit der Preußen im 19. Jahrhundert ließ sie auf die Staaten südlich der Mainlinie mit schlecht verhüllter Verachtung herabschauen. Der Berliner galt umgekehrt in Bayern als großmäulig, in Schwaben als indiskret. Als Hitler das preußische Prinzip der Überwältigung mit Technik zu Tode geritten hatte, zerfiel alles; nur der norddeutsche Dünkel angesichts der bäurischen Bayern und der biederen Schwaben blieb intakt.

Über bayrische Trachtenhüte und Trinksitten konnte man sich totlachen. Aber während man noch im Norden der Mainlinie damit beschäftigt war, bayrische Politik als Wirtshaus-Rauferei darzustellen, und schwäbische als biederes Häusle-Bauen, siedelten sich die Zukunfts-Technologien in Süddeutschland an. Der Unternehmer galt dort nicht von vornherein als Ausbeuter. Er begegnete einer gebildeten und weitsichtigen Verwaltung. Die süddeutschen Schulen hatten in der Zeit des Hinterfragens nicht aufgehört, ihren Schülern das Lernen beizubringen. Sie sorgten für Nachwuchs.

Das Ergebnis läßt sich an neuen Industrie-Strukturen und einer wachsenden Schicht technischer Tüftler ablesen. Die ländliche Umgebung Stuttgarts und Münchens verwandelte sich in Zentren hoher industrieller Leistung. Mercedes und MBB, BMW und IBM sind die Paradepferde. Der eigentliche Antrieb kommt aus dem Vergnügen, das die Nachkommen alter Handwerksgeschlechter an solider und perfekter Arbeit haben. Mercedes rühmt sich heute eines hohen Grades von Automatisierung. Eines Tages wird vielleicht bei der Produktion überhaupt keine Menschenhand mehr im Spiel sein. Dann wird man sich bei Stuttgart die Sage erzählen von dem älteren, bebrillten Schwaben, der in den Achtziger Jahren in den Montagehallen von Mercedes stand und hundert Mal am Tage die eben eingesetzte Türe des 300 E ins Schloß fallen ließ. Am Klang spürte er, ob Tür, Schloß und Karosserie den Ansprüchen entsprachen, die damals an einen Mercedes gestellt wurden. Aber vielleicht wird man auch im Jahre 2000 noch diesen Mann nötig haben. Jedenfalls laufen tausende kleinerer Neugründungen von Söhnen solcher Qualitätsfanatiker dem Norden den Rang ab. Wer unternehmenslustig ist, zieht nach Süden.

München und Stuttgart regieren jedoch kein spannungsloses Industrie-Idyll. Als seien die Stammesgegensätze des Mittelalters niemals erloschen, wiederholt sich der Antagonismus zwischen Nord und Süd im kleinen Maßstabe innerhalb Bayerns und Schwabens; im Frankenlande hat man Vorbehalte gegen München, das alemannische Baden bewahrt sich seine köstliche Animosität gegen Stuttgart. Nicht, daß

Franken und Baden den Staatsstreich planten. Alte demokratische Tradition will es aber, daß man Unbill nicht vergißt, die einem vor ein, zweihundert Jahren angetan wurde. Daraus wird dann vielfach ein Spiel mit verteilten Rollen, bei dem jeder mal die verfolgte Unschuld mimt.

Die Süddeutschen trennt manches, es verbindet sie aber eine barocke Lebenslust. Sie lieben ihre festlichen Landschaften, den See vor dem Panorama der schneebedeckten Berge, die Zwiebeltürme ihrer Kirchen, die Prozession auf dem Wege dahin und die goldenen Wahrzeichen mit Schwan und Bär und Traube vor den Wirtshäusern ihrer kleinen Städte. Ihr Bestes geben sie zur Fastnachtszeit, wenn die Straßen gefüllt sind mit hüpfenden Hexen, lang geschnäbelten Vogelmasken und übergroßen, ernsten Babyköpfen. Da verdichten sich die Mythen und Märchen der Vorzeit zu einem verrückten Kaleidoskop. Da lassen sie Dampf ab für ein ganzes Jahr. Das heilige römische Reich deutscher Nation taucht aus dem Untergrund auf, soweit Fastnacht und Karneval gefeiert werden.

Die Grenzen zu den Nachbarländern, zu Österreich, der Schweiz und dem Elsaß würde um diese Zeit des Februar ein Besucher von einem fernen Kontinent kaum wahrnehmen können. Die Masken und Sprünge der Narren sind etwas anders, der Sinn ist der gleiche. Wie denn überhaupt im Westen und Süden der Bundesrepublik die vorgestrige Besorgnis der Deutschen, isoliert, eingekreist und ausgeschlossen zu sein, gewichen ist dem Gefühl, zur europäischen Familie zu gehören. Die Grenzen sind offen, der Wanderung hin und her sind keine Schranken gesetzt, das Kinderspiel vom Zöllner und Schmuggler hat seine Aktualität verloren. Umso schärfer wird die Polizeigrenze gesehen, die sich der Osten zurechtgemacht hat.

In früheren Zeiten waren nicht nur Berlin, es waren alle Städte von Mauern umgeben. Als der Kaiser damals die ungehorsame Stadt Weinsberg am Neckar eingeschlossen hatte und die Belagerten hinter ihren durchlöcherten Mauern Wirkung zeigten, versuchte sich der hohe Herr an psychologischer Kriegführung. Er versprach den Frauen der Stadt freien Abzug. Sie fragten zurück, wovon sie denn leben sollten, nachdem sie ihre Stadt und Habe verlassen hatten? Das schien eine berechtigte Frage. Der Kaiser gestand den Frauen zu, mitzunehmen, was sie auf dem Rücken tragen konnten. Und siehe, zur festgesetzten Stunde öffneten sich die Stadttore und in langem Zuge erschienen die Frauen der Stadt Weinsberg. Eine jede trug auf ihrem Rücken ihren Mann.

Wir haben bisher über die Deutschen gesprochen, als seien es durchweg Männer – emsig damit beschäftigt, Heiden zu missionieren, Deiche zu errichten, Kirchen zu bauen, Kohle zu schürfen, Fußball zu spielen und Computer zu programmieren. Der Frauen wurde nicht gedacht.

Das ist eine Unaufmerksamkeit, die wir mit manchen anderen Völkern teilen. Ungeachtet dessen bringen die Frauen in Deutschland, wenn man an sie denkt, immer die Weiber von Weinsberg in Erinnerung. Zweimal haben sie während der großen Kriege dieses Jahrhunderts erst das Haus in Ordnung gehalten, die Kinder aufgezogen und dann, was von ihren Männern übrig geblieben war, in eine neue Existenz getragen. Der Versuch der nachträglichen Entmündigung ist den Männern nicht mehr ganz gelungen. Die Frauen haben die Trümmergrundstücke aufgeräumt, das Fräuleinwunder begründet und ihren Platz auf den Universitäten erobert. Sie sind dabei, die herkömmliche Politik zu unterwandern. Sie geben Germany ein neues Antlitz. Wie es genau aussehen wird, wagt keiner vorauszusagen, der die Frauen kennt. Doch sind manche von einer märchenhaften Entwicklung überzeugt.

Peter von Zahn

Germany – the country and the people

It is not easy to feel you are on safe ground when you are talking about Germany. In the north, where we start our journey, the coast has just emerged from the waves. The 'just' in this context is geological, for till a few tens of thousands of years ago there was a solid layer of ice covering this ground like icing on a cake. An expert can tell this simply by looking at the landscape; the receding ice left behind a debris of smooth boulders as it melted.

The North Sea extended far inland within historical times. Where now the flat green plain of Schleswig-Holstein looks out to sea over a line of foam, late mediaeval maps show a confusion of islands. The building of dykes gradually integrated them into the mainland, although the sea often tried to reclaim its own. The legends of the North Sea coast tell of water and storms and the constant struggle of the people to retain their plots and their pastures.

They are a tough, rough-edged breed that have developed in this region. Look at their houses, standing singly on low humps where houses have probably stood for a thousand years. A storm at high tide will send the waves battering at the door, beating at the kitchen window, trying to tear the thatch from the roof. On the string of islands in front of the coast, the solitary timelessness of life among the people would scarcely have changed over the years if there had not been a new invasion in the past century; a summer storm blowing in from the mainland, an ever-increasing torrent of tourists overflowing on to the islands of the North Sea coast. The landlubbers frolic in the waves and stretch themselves out, in various shades from white to brown, on the sand of the dunes. When autumn comes around it will wring a rueful grin from the faces of the locals as they shake their heads over the piles of money the trippers have left behind them. At last the islanders have been left to themselves and their familiar routine – fishing, milking the cows, shoring up the dunes against the coming storms of winter and relishing their afternoon drink of tea laced with rum. The rafters sag under the sheer weight of the tall stories served up about the tourists and it is hardly surprising when the chatter and the drink float the islanders off into the realms of fantasy.

Let's make a short digression. It is only around the coasts that the Germans drink rum; further inland they will follow their beer with a chaser of clear schnapps, or 'Klarer', while in the south the beer alternates with 'Obstler', schnapps distilled from fruit. In the west the Obstler is taken to wash down not beer, but wine. There are provinces, Franconia on the Main for example, where you can be faced day in, day out, with the knotty problem of choosing the products either of the vineyards or the breweries, and there are other parts, like the Cologne area, where the traveller struggles to decide which of two fermentation processes will provide him with the glass of beer to his taste.

The visitor in Germany, wherever he may find himself, will do well to stick to the locally-produced drinks, for the simple reason that they develop their best qualities in their place of origin. Not that champagne and Scotch are unavailable; you can buy alcohol any time, anywhere. This is not to imply any decadent trend, I hasten to add. It is simply that the puritanical conception of preventing people enjoying themselves at certain times or on certain days, as is thought proper in Anglo-Saxon and Scandinavian lands, just doesn't exist when you roam through that enchanted land between the North Sea and the Alps.

There used to be times in German history when people flocked to watch the Germans drink themselves under the table. No longer. A trip to Munich's Oktoberfest will result in the consumption of a few beers, after which the visitor is swept into the general festivities and forgets his discerning scrutiny of the eccentricities of the natives. Even the legendary hard drinkers among the student fraternities of Bonn and Heidelberg belong to the last century. These days you are more likely to spot students and lecturers staggering homewards in the morning after a five kilometre jogging stint, to quench their thirst with a bottle of mineral water from one of Germanys numerous springs.

In this country the unexpected is the rule. There is a saying attributed to a French Ambassador of long service, M. Francois-Poncet. "Just when you think a German is going to get Teutonic, he starts behaving like a Roman; if you then try to confound him with Latin logic, he'll slip rapidly through the net with a deal of Slavic charm." A mixture of German genes has boiled and bubbled in the cauldron of past centuries. A perceptive observer can hold the brew to the light and draw his own conclusions – that the Germans are a pot-pourri of European quirks. Their civilisation has its roots in the Roman Empire. Along with wine, the Romans also brought Christianity to the Germans, who in turn passed it eastwards to the Slavic tribes on and beyond the Elbe. This often had to be achieved by fire and sword, but one imagines the Cross thus made a lasting impression.

To return to the coast, the Romans with their efficient military machine never reached the peoples of the North German Plain. The present population, descendants of those wild Germanic tribes, pride themselves on their independence and never forget to mount crossed horses' heads on the gables of their huge half-timbered houses – hardly a Christian tradition. They used to call themselves Angles, or Saxons, and, even before the Vikings arrived from Scandinavia, founded settlements throughout England. From there, known as Anglo-Saxons, they launched themselves into the world to influence the course of history in ways undreamt of by those who had never crossed the Channel.

It was Charlemagne who eventually made Christianity compulsory in the north, after which its people strode off, in the opposite direction this time, to impose the Lord's Prayer on the Slavs between the Baltic and the Elbe. They built eastward-facing castles and solid, fortress-like churches, some of which are standing to this day. Their most illustrious duke was nicknamed "the Lion". His wife, an English princess, was apparently half a head taller than her belligerent husband. Their effigies lie in Brunswick Cathedral, and, when you contemplate the stone monument, it is worth remembering that it was under their rule that the great process of integration between Germanic and Slavic tribes first began, a process that has continued into our own century. The patricians' houses of Lübeck, Hamburg and Bremen used to cast a friendly eye on the blonde, square-faced maidservants from the villages of Mecklenburg, and accepted them as something more than mere Cinderellas. Interested readers may turn to Thomas Mann's "Buddenbrooks" for further enlightenment.

The Slavs were also invaded by the Rhinelanders, who installed themselves in towns among the Slav villages between the rivers Elbe and Weichsel. They founded these towns according to German customs, while their schools were based on a Latin tradition and their administrative offices on Roman law. They married and passed on to their offspring a tuneful sort of dialect. Their nobility would call themselves after the Slavic names of the estates they had seized. When they introduced themselves, it sounded like the twitterings of birds in spring. Zitzewitz, did you say? Itzenplitz, beg your pardon!

Just at the very place where Henry the Lion started to found his new towns, there is a forbidding stretch of fencing these days, the border of the Federal Republic. On the other side of the ditches and watchtowers it is possible, with a pair of field glasses, to see the outposts of the Russian Empire. The politics of the German-Slav relationship have a long history with an unhappy end. After eight centuries there came the final disaster, although not without a glimmer of hope. After 1945, ten million descendants of the Germans and Slavs of eastern Europe streamed westwards, where their integration can only be regarded as advantageous to the new Germany.

Forty years later the younger generation are no longer concerned if their forefathers were Slavs, Germans or Romans. They continue the processes of mixing and merging that, Pill or no Pill, will characterize the future of Europe. This generation takes it for granted the town of Lübeck, Henry the Lion's proudest foundation, stands at the terminus, and not at the beginning, of the rail route to the east. Nowadays the Germans – and that includes the East Germans – orient themselves westwards.

Lübeck, however, has always been famed as a port rather than a railway town, for it is here that the ferries chug off to Scandinavia and you can gaze, languishing from the effects of too much smorgasbord, over the bows and into the depths of German history. For three centuries, Lübeck was the centre of the Hansa, an association that could well be described as an exceptionally successful forerunner of the European Community. It was an organisation to protect the commercial interests of mercantile towns, extending from Flanders right through northern Europe as far as Novgorod in Russia and Bergen in Norway. The theories that abound in Brussels these days were actually put into practice at that time – there was a set of common trade regulations, whether for herring or wool, salt or grain. The town councillors became influential, the commercial houses wealthy and the citizens imbued with a sense of that brick-fronted pride that finds its most glowing expression in the Marientor, the churches and the old Town Hall of Lübeck.

The other two great harbours of the Federal Republic, Hamburg and Bremen, still feel that Hanseatic spirit hovering over them. Their car registration numbers all bear an 'H' for Hansa, and they are to this day municipal republics that have no equal unless it be in the former city states of Venice or Genoa. We can see it as grounds for congratulation that a visit by the Queen of England not only caused rejoicing among the citizens, but also set off a ferocious argument as to whether the Lord Mayor should receive the Monarch while standing on the steps of the Town Hall, or whether he should advance down them to meet her. It may well be that the Lord Mayor of Hamburg is no more than the representative of one and a half million Hanseatics, but his constitutional position is equal to that of the Minister President of the great Free State of Bavaria. It is the most delightful and endearing characteristic of Germany that it can never be the subject of sweeping generalisations.

We have spent too long on the coast and the border. It is now time to make our way further into this mysterious country.

"Der Wald steht schwarz und schweiget und aus den Wiesen steiget der weiße Nebel wunderbar."*

* (The forest stands black and silent, and from the meadows rises a magical white mist.)

These words by Matthias Claudius express that slight shiver that runs down German spines at the mention of forests. Others are likewise affected. Our neighbours to the south and the west have often remarked on that puzzling relationship that Germans have to Nature, or more exactly, to the wooded parts of their landscape. Sometimes they have described the woods between the Harz and Spessart, between the Eifel and the Sauerland, as if they were still the haunts of giants and elves, the hiding-places of dwarves and goblins.

From foreigners' descriptions one could conjecture that every one hundred and fifty years in the course of history the German soul retreats into the forest undergrowth, emerging as if berserk to flatten everything around. We ourselves are not so keen on swallowing this Romantic idea of a connection between forests and barbarism, but must nevertheless concede that for many Germans to walk, or rather to hike, through the woods takes on the proportions of a ritual of purification; we feel an additional satisfaction when the crumbling tower of a castle can be sighted above the tree-tops, or when abbey bells can be heard ringing out from the depths of the woods.

The myths of the forests pale, however, before present realities. Acid rain and toxic emissions have made their mark on the showpiece of the German soul. The forest is no longer the primaeval jungle which the wary Roman legions entered with trepidation; there are no longer the thickets which the mediaeval charcoal burners filled with billowing smoke; now it is official forestry land, with numbers and coloured labels, trees standing to attention like a company of Prussian soldiery, a parade ground for pines and firs lined up in formation. Machines will turn them all into newspaper, where we will all be able to study the carefully-printed articles on the shocking state of the German woods. It is indeed a source of alarm, what the hunters and forest wardens have to report. The German attachment to forests must find new expression in increased efforts by chemists and farmers so that the Odenwald and the Black Forest and the Bavarian Forest thrive once more.

Wood is potential coal. Beneath the region north of the river Ruhr, lie extensive forests that over millions of years have been compressed under the weight of a thousand metres of rock to form coal seams. These massive stores of black energy were the primary foundation stones of German heavy industry. The second prerequisite was a stream of muscular youths from the Eastern provinces, cheap and willing labour, industrious and undemanding. The third requirement was the technical ability of the engineers and miners who excavated the coal from its obscurity and used it for smelting iron and steel. And finally there was the importance of other nearby European industrial areas, which received the heavy loads of iron, coke and steel machinery they needed, supplies that came floating over the waterways of the Rhine and Ruhr and, what's more, came cheaply.

Those are the four elements that comprise the secret of the Ruhr industry. That our European neighbours proceeded to make a monster and a myth out of the Ruhr is quite obvious, given the mythical tendencies of the Germans themselves. The Ruhr landscape contributes to this feeling that the ground is slipping away under your feet. Suddenly a road will collapse or a row of houses will have to be evacuated, because a disused mine has caved in deep below them. The Ruhr has quite lost its menacing aspect these days, although it is in a difficult phase of adjustment. Like all older industrial areas, it suffers from too much muscle and too little flexibility.

The inhabitants of the Ruhr are mostly descended from immigrants who don't care to emigrate. It is touching to see the care they lavish on the little gardens behind the grey rows of houses, how they populate them with gnomes and clay deer, how the pigeon fanciers beam to see their carrier pigeons return to the lofts. Any news is good news when it arrives like that.

The homeland of those who live among mines and blast furnaces may not be as picturesque as that of the Moselle valley or the Alps. On the other hand, is there anywhere on the Moselle or between Garmisch and Oberammergau that can offer the satisfaction of yelling yourself hoarse, as the fans do when the neighbouring football teams of Schalke and Borussia Dortmund hurl themselves at each other at a league match? The force of habit will usually triumph over migratory instincts.

According to the logics of economy, the Ruhrgebiet will continue its decline. For a hundred years it was the power house of Germany. Now, while German industry depends more and more on the export of precision instruments, the Ruhr has only one principal export, and that is a pipe-dream, the fiction that coal is still Germany's chief raw material. This area fought its way to success with a dogged perseverance, and it is with a dogged perseverance that it clings to its outdated industries and uses its political votes to coerce politicians into providing vast subsidies for goods that are cheaper and better when produced by India or Korea.

The coal myth is in fact a subdivision of the great legend of 'Lebensraum', which maintained that Germany lacked elbow room. This theory was finally laid to rest when Germany lost half of what Lebensraum it had, upon which there was a substantial increase in the standard of living. Coal and agricultural land are supposed to be measures of a country's wealth, but the most productive raw material and its best processing plant can be found in one place, the human mind.

This conclusion is endorsed when we look at the public who may be unlearned in theories of economics but who still flock to fill the theatres of North Rhine-Westphalia every evening. In all, there must be as many theatres scattered about the area as there are in London, and they are no less accessible. For pure story-telling, or even myth-making power, there can probably be no-one to touch the Dance Theatre of Pina Bausch. Moreover, its home and its support are to be found in the last place that one would expect either an audience or a generous town council; in Wuppertal. Wuppertal's narrow valley is also the home of the suspension railway, the realisation of a nineteenth-century technical dream. It could have come straight out of the pages of Jules Verne and it will no doubt survive the twentieth century.

I would not have mentioned the suspension railway in connection with the Ruhrgebiet, but there seemed no other opportunity of slipping it into my yarn. The suspension railway possesses its own modest elegance that makes it an outsider to the area, whereas now old Alfred Krupp's Villa Hügel is far more true to type. Who on earth was he trying to impress with this homeowner's Versailles? There was no way the Villa could compete with the gracious lifestyle of the region's heritage of moated houses. It's a sign of the times to indicate your own opinion of yourself by sheer crushing magnitude – a practice not unknown to leading banks when erecting their headquarters in Frankfurt. Villa Hügel by no means lags behind them, and in this context we can include Richard Wagner's 'Ring' cycle and Ludwig the Second's castle of Neuschwanstein.

It was long a custom among the Germans to regard the Limes as a dividing line of their civilisation. The Limes was the great fortification that the Roman emperors built to protect the more civilised Germanic tribes in the south and west from the uncouth aggressions of those in the north and east. According to this hypothesis, the culture of the tribes who lived within the Limes had a flying start of four hundred years, while the rest have always trailed behind and, the theory hints in an aside, have never reached an acceptable European standard to this day. The critics expressed the opinion that non-Limes areas might manage to breed hordes of Lutherans, iconoclasts, Prussian sergeant-majors, would-be Bismarcks and Social Democrats, but never your true good – natured German. On the other hand, the 'northern lights' of Germany have always maintained that south of the Main, that is, within the Limes, live a ham-fisted bunch of untrustworthy yokels who prefer to give hard work a wide berth.

This is hardly a convincing argument when it comes to accounting for cultural differences. It fails to explain how the ostensibly 'rational' north and east produced the music of Schütz, Bach, Händel and Wagner, while in the backwoods of the south, architecture reached a peak in the building of cathedrals, burghers' houses and palaces. Yet there is still a grain of truth somewhere in these myths, for there really is a change in atmosphere along the Rhine and Main. If the Limes cannot be held responsible for Protestantism, it nevertheless separates – probably by coincidence – the sober Protestants from the mainly Roman Catholic lands. It boils down to a certain happy-go-lucky attitude; there are no vineyards outside the Limes, the pleasant and tender southern diminutive of -lein at the end of words changes to the less agreeable, harsh and throaty -chen towards the north, – but in the end the difference must be attributed to another cause, connected with the attitude towards the Germany that was once part of the Holy Roman Empire.

The Empire, every constitutional expert's nightmare, included in its thousand years of existence far more than what is today north and south Germany; it comprised a large section of Europe. The Kaiser normally sat in Vienna, und was the nominal ruler of a good 300 large, small and miniature principalities, but real power lay in the bishoprics, the free cities and the local capitals along Rhine and Main. Here the Empire showed its congenial side, and here there was a sacrosanct and closely-woven net of feudal rights and duties. The Kaiser and his lawcourts had the task of seeing that no-one was deprived of his rights. Over the centuries this resulted in a master and servant relationship based mainly on trust and care.

In comparison, the northeastern territories had a rational and progressive system of a few large administrative units. Its subjects were not encouraged to harp on their ancient rights; they were expected to obey. The peasant on the Main could turn to the Abbot in the next valley as an intermediary between himself and the Kaiser, who was nicely within reach; the peasant in Altmark, in the north, was confronted with the local landowner, then the administrative director, then the might of the King of Prussia, and even then the Kaiser was quite out of reach.

The Empire called itself Holy and, compared with the nation states around, it was, in its own whimsical way. Its duty was to protect, not to expand, and it was not an aggressor. All the Emperor desired was that the French and the Swedes should leave him in peace and that the Turks and Prussians should not try to rob him of his lands.

The Rhine used to be the centre of the old Empire, and has been restored to its ancient position with the creation of the Federal Republic. Winding between the chain of ministers and cathedrals that lie along the river – Xanten, Cologne, Bonn, Mainz, Speyer and Worms, all once pagan shrines for the Roman legions – there is nowadays another chain of power stations, factory buildings and high-rise office blocks to support the sixty million inhabitants of West Germany.

A glance at the Rhine itself will verify this; its meanders are filled with barges, and an occasional pleasure cruiser wherever there are hills, castles and vineyards which the guides can point to, right and left, while relating the legends of the Rhine. The role of the Rhine becomes even more graphic when the former headquarters of Allied High Commissioner at Petersberg come into view, when the steamer glides past Adenauer's villa above Rhöndorf and the famed bridge at Remagen, for these are memorials which have embedded themselves in the historical humus that nourishes Germany today.

It is instructive to look at the attitude of a country to its capital city. The French loose no time in elevating theirs to the capital of the world, although they can't stand the sight of a Parisian unless they happen to be one themselves. The Americans have a very low opinion of Washington and an even lower one of its politicians. That's not America. In all their history, the Germans have only ever had one real capital, for seventy-five years; that was Berlin, but no-one liked it much. In the meantime the rulers of East Germany have chosen Berlin as their capital, although they control only half this city of four million and have had to cut themselves off from the other half by a wall to stop people getting out. There would seem a moral obligation here to make West Berlin the capital of West Germany but then it would be an island capital 180 kilometres away from the Federal Rebulic's eastern border, accessible to West Germans only with the Russians' consent.

It will be difficult to explain to future generations the tangle of claims, and the barriers to those claims, that surround Berlin. People will want to know how the Berliners coped when four powers excercised control and six different legal systems were enforced, how they managed to maintain their warped, severed and constricted connections with the outside world. It makes the machinery of the Holy Roman Empire look like child's play. Nevertheless, apart from the Russian blockade of 1948 and occasional other disturbances, the Berliners have taken their status for granted. Indeed, they have no choice, for on this thorn in the flesh of East Germany is balanced the whole artificial construction that ensures the peace of Europe. One can only hope that it does not collapse under the grotesque struggle between East and West Berlin, who both claim Prussia, Bismarck and the Hohenzollern as their ideological guardians.

Within its walls – the cliché is literal, for once – West Berlin houses two pandas, the head of Nefertiti, the famous boulevard of the Kurfürstendamm, the raciest night-life in all Europe, a congress centre that looks like an obsolete battleship, a Turkish population as large as that of a large city in Turkey, countless agents from a couple of dozen secret services, sixty-five thousend students, the most garrulous set of taxi-drivers in the northern hemisphere and a fairytale landscape of woods and lakes.

The present capital of Bonn finds it hard to compete with all this, even though as the former headquarters of the second Roman legion (Minerva) it has a start of a good twelve hundred years over Berlin. Bonn has an unassuming air. It was originally a provisional capital for the young Federal Republic, but modern reference books omit the word 'provisional'. Its wide imposing streets date from the time when its ruler also happened to be the Archbishop of Cologne, an electoral prince and first henchman of the Emperor. Nobody in Bonn has yet been able to bring himself to provide the usual obligatory monuments to embellish the frequent visits of foreign potentates – in the humble assumption that visitors will accept Beethoven's birthplace as a sufficient hint at reverence for the past.

This town of scholars and bureaucrats shuns all things bombastic; politicians with such tendencies subside into silence, overawed by memories of Adenauer's cool wit. The average German doesn't hold it against the citizens of Bonn that he is bored to tears every evening by the television news with its interminable camera shots of sterile government offices and interchangeable figures. Poor old Bonn can't help it, but that still doesn't make the Germans feel any more affectionate towards their capital. It consoles itself with the Drachenfels and the Siebengebirge, while the rest of Germany reserves what enthusiasm it has in this direction for the individual capitals of the federal states.

Munich and Stuttgart are good examples. Both were formerly residences of influential princes of the Empire. Munich is the capital of Bavaria and almost as old, and Bavaria itself is the most venerable of all the German states. Stuttgart took longer to make itself into a legend, maybe because the Lords of the Swabian House of Staufen couldn't sit still for long without itching to be off on the Emperor's business in Italy or the Holy Land. But Stuttgart has caught up. The thrifty Swabians watch respectfully as their state capital decks itself out in lavish museums, and they even countenance the fact that their Minister President spends as much time abroad as did once the Staufen princes of old, for they are well aware that whether he is wielding chopsticks in China or paying his respects to the Kremlin and the vodka in Moscow, he is there on behalf of Swabian industry.

He shares his wanderlust with his colleague in Munich, who takes it one step further by piloting his own jet on flying visits to Tirana, Tel Aviv, Toulouse or Tokyo, so that he is never too long away from his Bavarians or too far from their thoughts, incidentally, their unwavering support for him can be attributed not only to his talent for attracting big firms to Bavaria, but also to his signal virtue of possessing a manner that doesn't exactly endear him to the hearts of the North Germans.

Deep-seated antipathies between north and south, east and west, belong to Germany as much as the wicked fairy to the storybook. The technical and military superiority of nineteenth-century Prussians led them to regard the states south of the Main with thinly-disguised contempt. The Berliners, on the other hand, were regarded by the Bavarians as loudmouthed, by the Swabians as boorish. Hitler flogged to death the Prussian principle of overpowering by technology, and the old animosities disintegrated, leaving intact only a certain North German arrogance towards Bavarian bumpkins and simple-minded Swabians.

You can split your sides laughing over the Bavarians' little hats and drinking habits, but while everyone north of the Main was busy sniggering that Bavarian politics was little better than a pub brawl, or smirking about the dull home-is-my castle Swabians, the technology of the future was already establishing itself in south Germany. Employers who turned up there were not dismissed as exploiters from the start and they were welcomed by well-informed and far-sighted local authorities. During the time of social upheaval the south German schools never failed to provide the post-war generation with a good education. There was always a steady supply of new recruits, and the results can be seen in the new structuring of industry and a growing class of technological egg-heads. The countryside around Stuttgart and Munich has sprouted high-powered centres of industry, with Mercedes, MBB, BMW and IBM as their prize exhibits. The drive behind all this stems from the pride of a job well done, a pride handed down from generations of solid perfectionist workmen. Mercedes boasts a high degree of automation these days, and perhaps will see a time when there is nothing left to do by hand. Around Stuttgart someone, some day, will relate the legend of the elderly spectacled Swabian in the bygone nineteen-eighties who stood in the Mercedes assembly shop and one after another slammed each newly-mounted door of every 300 E, a hundred times a day; he could tell by the sound whether door, lock and bodywork met the high standards demanded by Mercedes in those days. But on the other hand he might still be indispensable in the year 2000. Anyway, a thousand new firms have sprung up, founded by the sons of just such sticklers for quality, to outstrip the north. The enterprising move south.

This is not to say Munich and Stuttgart administer some serene industrial idyll. It is as if the mediaeval tribal differences had never been reconciled; the north-south antagonism repeats itself on a smaller scale between Swabia and Bavaria, the Franks have serious reservations about Munich and in Alemannic Baden they have an absurd aversion to Stuttgart. Not that Franconia and Baden are planning a coup; ancient democratic traditions will just have it that injustices one or two hundred years old cannot be forgotten. Everybody assumes his role in the play, and it is always the same one, that of the injured innocent.

Whatever divides the South Germans, they are still united by a common baroque zest for life. They love their splendid landscapes of lakes framed by a panorama of snow-covered mountains, the processions wending their way to onion-towered churches, the little towns with their golden inn signs, the Swan, the Bear, the Grapes. You see the people at their best during Carnival, when the streets are thronged with prancing witches, long-beaked bird masks and oversized grave baby-like heads. The myths and fairy stories of old converge in a crazy kaleidoscope. Here you can let off enough steam to last the whole year. The Germany of the Holy Roman Empire rises from the dead in the masquerades that precede Lent.

A visitor to Carnival from another continent would scarcely notice that there are any differences in the neighbouring lands of Austria, Switzerland, and Alsace at this time. The masks and the jesters' leaps are slightly different, but the same spirit prevails. The Germans in the south and west used to consider themselves isolated, surrounded and shut off, but this has been replaced by the feeling that now they form part of the family of Europe. The borders are open, there are no barriers to travelling back and forth, and the children's game of customs versus smuggler is becoming obsolete. It makes the stringent policing of the borders erected by the Eastern block seem even more relentless.

There used to be a wall around all cities, not only Berlin. Once upon a time, there was a Kaiser who laid siege to the disobedient town of Weinsberg on the Neckar; when the residents began to react to the attack on their walls, His Majesty decided to try some psychological warfare. He promised to release the women of the town. What, came the reply, were they to live on if they abandoned house and home? A fair question. The Kaiser granted them permission to take whatever they could carry on their backs. When the hour came, the town gates opened to reveal a long procession of the women of Weinsberg. And all of them were bearing their husbands.

We have been speaking of the Germans up to now as if they were exclusively male, bustling about to convert the heathen, dig the dykes, build the churches, mine the coal, win the football matches and write the computer programs. The women have been ignored. We are not the only people who are so inattentive. In spite of that, if you think of it, German women always remind one of the women of Weinsberg. Twice during the World Wars of our century, they have kept house, raised their family and supported what was left of their menfolk in a new life. After that, the male attempt to silence them was doomed to failure. It was the women who cleared the mountains of rubble from the bomb-sites, who created the 'Fräuleinwunder' as the antithesis of the Hausfrau and who won themselves a place in the universities. They are on their way to infiltrating the conventional world of politics. They are giving Germany a new face. Nobody who knows women will dare to guess at the future, but many suspect that we have a few fairytale developments ahead of us.

Peter von Zahn

L'Allemagne – son peuple, ses paysages, ses villes, un vrai pays de cocagne.

Il est difficile de garder les deux pieds sur la terre ferme quand on parle de l'Allemagne. Dans le Nord du pays, où ce récit commence, la terre vient juste de sortir de la mer. C'est à dire qu'un épais manteau de glace la recouvrait encore il y a à peine 10 000 ans. Le connaisseur s'en apercevra tout de suite au paysage encore profondément marqué par les derniers glaciers: leurs eaux de fonte ont laissé des éboulis de rochers polis.

Il n'y a pas encore très longtemps, la Mer du Nord s'avançait loin dans le pays. Dans la région de Schleswig-Holstein, la côte verdoyante, aujourd'hui séparée de la mer par un déferlement de houle, était encore un enchevêtrement d'îles à la fin du Moyen Âge. Des endiguements changèrent progressivement le caractère du paysage. Mais la terre n'était toujours pas très ferme. La mer pouvait la reprendre à n'importe quel moment. Les légendes de la région évoquent des histoires de houle et de tempêtes et parlent de la lutte incessante que l'homme devait livrer pour conserver son champ et le pré de sa vache.

La souche d'hommes qui s'installa en ces lieux était rude et coriace. Les maisons se dressent, solitaires, sur de minces élévations de terrain. Quelques-unes s'y trouvaient déjà il y a plus de mille ans. Quand la tempête fait rage, la mer vient cogner aux portes et aux fenêtres et tente d'arracher la chaume des toits. Une chaîne d'îles s'étend au large du continent. Leurs habitants y vivraient encore comme autrefois, dans une solitude éternelle, si une foule de vacanciers ne venait les envahir depuis un siècle. Ce flot humain, en provenance de la terre ferme, se rue sur les îles et dans les vagues. Des corps pâles qui changent peu à peu de couleur recouvrent le sable des dunes. A l'automne, les insulaires comptent le bel argent qu'ils ont gagné avec des hochements de tête amusés.

Les îliens se retrouvent alors entre eux. Ils partent à la pêche, traient les vaches et consolident les dunes contre les tempêtes hivernales. Dès l'après-midi, ils boivent le thé arrosé de larges rasades de rhum. Les poutres des maisons craquent et les rires fusent quand ils échangent leurs plaisanteries sur les estivants. Faut-il s'étonner si la terre ferme se dérobe une fois de plus sous leurs pieds?

Abordons maintenant les régions du continent. Les Allemands ne boivent du rhum que sur les côtes. C'est la bière qui l'emporte à l'intérieur du pays. Les habitants l'accompagnent d'une eau-de-vie qui est à base de fruits dans le Sud. On la consomme également dans les contrées de l'Ouest, mais là, elle n'aide pas à faire digérer la bière. On l'alterne avec le vin. Dans certaines provinces comme dans la vallée du Main, la journée commence avec un choix difficile: boira-t-on de la bière ou du vin aujourd'hui? Dans d'autres endroits, à Cologne par exemple, la bière à fermentation haute et celle à fermentation basse rivalisent pour obtenir les faveurs des visiteurs.

Le visiteur ferait bien de se concentrer sur les spécialités des régions car elles ne développent leur plein bouquet qu'en milieu original. Il n'aura bien sûr aucune difficulté à se faire servir du champagne ou du whisky s'il en veut absolument. Tout s'achète en République fédérale. Cette remarque ne sous-entend pas une corruption générale; seulement les restrictions puritaines des pays anglo-saxons et scandinaves sont épargnées à l'explorateur de ce pays de cocagne niché entre la Mer du Nord et les Alpes.

Il fut un temps en Europe où les gens accouraient pour voir les Allemands s'enivrer. Cette époque est révolue. Celui qui se rend à la fête d'octobre de la bière à Munich, participe à la joie générale et après quelques chopes, ne cherche plus d'un regard inquisiteur à découvrir les attributs distinctifs du peuple allemand. En outre, les célèbres beuveries des Confréries d'étudiants de Bonn ou d'Heidelberg ne sont plus elles aussi que des souvenirs rattachés au siècle dernier. Aujourd'hui, on voit maîtres et étudiants, enivrés par cinq kilomètres de jogging matinal, se rafraîchir le gosier avec une eau minérale provenant des nombreuses sources du pays.

L'inattendu forme la règle en Allemagne. Jean François-Poncet, ambassadeur longtemps en poste dans le pays, aurait déclaré: «Quand on attend d'un Allemand qu'il se conduise à la teutone, il réagit comme un Romain. Et si l'on essaie alors d'appliquer la logique latine, il s'échappe soudain dans le charme slave.»

Les guerres des siècles derniers ont fait un véritable brassage des gènes des Allemands. L'observateur perspicace peut toutefois les différencier. Les Allemands constituent un salmigondis de caractéristiques européennes. Leur civilisation provient de l'Empire romain, lequel a également apporté le vin en même temps que le christianisme. Ce dernier a été propagé dans les tribus slaves de l'Elbe et les régions de l'Ouest à coups de luttes sanguinaires, sans doute afin de mieux implanter la croix.

Retournons aux habitants des côtes de la Mer du Nord. Malgré leur administration militaire des plus efficaces, les Romains ne parvinrent jamais aux fins fonds du Nord de l'Allemagne. Les descendants des Germains renégats qui habitent encore ces régions, s'enorgueillissent de leur indépendance et fixent allégrement des têtes de chevaux crucifiés aux pignons de leurs immenses maisons à colombage. Un symbole que l'on ne peut qualifier de chrétien... Leurs ancêtres se nommaient Angles ou Saxons. Après que ces prédécesseurs des Vikings scandinaves eurent colonisé un bon morceau de l'Angleterre, ils entrèrent comme Anglo-Saxons dans la grande chronique du monde et donnèrent à l'histoire un tracé digne de stupéfier les compatriotes restés à la maison.

La conversion forcée effectuée par Charlemagne, les obligea à changer de direction céleste. Ils enseignèrent alors le Notre-Père aux tribus slaves entre la Mer Baltique et l'Elbe. Ils bâtirent des forts avec vue sur l'Est et des églises fortifiées dont quelques-unes existent encore. Leur duc le plus remarquable portait le sobriquet de «Lion». L'épouse de ce grand chef, une princesse anglaise, aurait dépassé d'au moins une tête son conjoint querelleur. On peut admirer le couple sculpté dans la pierre à l'intérieur du dôme de Brunswick et se rappeler avec respect que le grand mélange des Germains et des Slaves a débuté sous le règne de ces gisants-là pour continuer jusqu'à notre siècle. Les blondes servantes aux larges maxillaires des villages de la région de Mecklenburg étaient fort appréciées dans les maisons bourgeoises de Lübeck, Hambourg et Brême. La lecture des «Buddenbrooks» de Thomas Mann revèle à chacun qu'elles n'étaient pas seulement reléguées au rôle de Cendrillon!

Des immigrants arrivés du Rhin, s'installèrent entre les villages slaves disséminés de l'Elbe à la Weichsel. Ils fondèrent des villes d'après le droit allemand, des écoles dans des monastères d'après le droit latin et des services administratifs d'après le droit romain. Ils se marièrent et laissèrent à leurs enfants une langue mélodieuse. Leur noblesse prit les noms slaves des biens qu'elle s'était appropriés: des patronymes qui ressemblaient à des gazouillis d'oiseaux... Zitzewitz? Non, Itzenplitz!

La lugubre ligne de démarcation qui délimite l'Allemagne fédérale, s'étend dans la région où le duc Henri le Lion commença à fonder des villes. Les arrières-postes du bloc soviétique sont visibles à la jumelle au-delà des fils barbelés et des miradors. La politique slave des Allemands constitue une longue histoire au triste dénouement. Elle s'est achevée en débâcle au bout de huit siècles. Son épilogue comporte toutefois une facette un peu plus réjouissante: après 1945, 10 millions de descendants des Allemands et Slaves d'Europe de l'Est affluèrent vers l'Europe de l'Ouest et s'y intégrèrent pour le plus grand bien de leur nouvelle patrie.

Quarante années plus tard, la jeune génération ne se préoccupe guère de ses ancêtres slaves, allemands ou romains. Elle préfère continuer à se mélanger et à se fondre. Un processus qui se perpétuera malgré le boom de la pilule car il représente l'avenir de l'Europe. Pour cette génération, Lübeck, la grande œuvre d'Henri le Lion, n'est pas le point de départ des trains vers l'Est, mais une ville située à la frontière de son pays. Le regard des Allemands – y compris celui des habitants de la RDA d'ailleurs-reste tourné vers l'Ouest.

Autrefois déjà, la gare de Lübeck était moins fréquentée que son port duquel on s'embarque pour la Scandinavie. Le regard qui s'attache une dernière fois sur les lignes de la ville avant que le bateau ne prenne le large, s'enfonce également dans les profondeurs de l'histoire allemande. Durant trois siècles, Lübeck fut en effet le centre de la Hanse, une association que l'on pourrait décrire comme le précurseur très florissant de la Communauté européenne actuelle. Cette alliance qui offrait la sécurité aux villes de commerce, s'étendait à travers toute l'Europe du Nord, de la Flandre à Novgorod et jusque dans les montagnes norvégiennes. Ce que les pays-membres de la C.E.E. souhaiteraient voir se réaliser aujourd'hui à Bruxelles, était pratiqué avec succès à l'époque dans la ville de Lübeck. Le commerce des harengs, de la laine, du sel et des céréales suivait des règles homogènes. Aux notables, il apporta l'influence, aux commerçants, la richesse et aux citoyens, la fierté qui se dégage encore des façades en briques de la porte de Marie (Marientor), des églises et du vieil hôtel de ville de Lübeck.

L'esprit de la Hanse souffle toujours sur Hambourg et Brême, les deux autres grands ports de l'Allemagne fédérale. La plaque minéralogique des voitures de ces cités porte un H pour Hanse. Elles sont restées villes libres comme ne l'étaient autrefois que Venise et Gênes en Europe. On peut les féliciter de leurs problèmes: une visite d'Etat de la reine d'Angleterre, attendue dans l'allégresse générale, entraîne pourtant de graves discussions parmi les citoyens. Est-ce que le premier maire de la ville, doit recevoir la personne royale en haut de l'escalier de la mairie ou faire quelques pas à sa rencontre? En fait, le premier magistrat de Hambourg n'est que le représentant d'un million et demi d'Hanséates. Mais selon la constitution, il occupe le même rang que le Président du Conseil du grand Etat libre de Bavière. On ne met pas tout dans le même sac en Allemagne et c'est ce qui fait le charme de ce pays!

Nous nous sommes déjà trop attardés sur les côtes et aux frontières. Il est temps de pénétrer un peu plus à l'intérieur de ce pays plein de secrets.

»La forêt se dresse sombre et se tait
Des prés s'élève un merveilleux brouillard blanc.«

C'est ainsi que Matthias Claudius décrit le tressaillement léger que certains paysages allemands provoquent en nous et en d'autres aussi. Nos voisins de l'Ouest et du Sud se sont souvent perdus en considérations sur la relation mystérieuse des Allemands avec la nature, plus précisément avec la forêt. Parfois, ils ont peint les forêts entre le Harz et le Spessart, entre l'Eifel et le Sauerland comme étant toujours l'habitat de géants, de fées, de nains et de lutins.

Selon eux, depuis le début de son histoire, l'Allemand se serait retiré tous les cent-cinquante ans dans la jungle de son âme pour en jaillir soudain et se battre sauvagement. Le lien romantique entre la forêt et la barbarie n'est plus très crédible. Mais il est vrai que les randonnées dans les bois représentent un rituel purifiant pour bon nombre d'Allemands. Et leur plaisir est à son comble quand ils aperçoivent les tours d'un château en ruines se dresser au-dessus de la cime des arbres ou entendent les cloches d'un monastère vibrer dans les profondeurs boisées.

Le mythe de la forêt comparé à la réalité offre pourtant une image différente. La pluie acide et les gaz d'échappement toxiques ont éprouvé le bois si précieux à l'âme allemande. Par ailleurs, il n'est plus la jungle où les légions romaines ne pénétraient qu'en hésitant, ni le taillis que les charbonniers d'antan remplissaient de fumée. Les forêts sont aujourd'hui des emplacements numérotés avec des panneaux d'indication qui se dressent comme des compagnies de soldats prussiens. Elles ressemblent à des esplanades où les pins et les sapins paradent avant d'être transformés en papier journal sur lequel sera imprimée en fins caractères l'histoire triste de la mort de la forêt allemande. De fait, il est alarmant d'écouter les rapports des chasseurs et des forestiers. Le peuple allemand tient beaucoup à ses forêts. Ce sentiment devrait se métamorphoser en force créatrice chez les chimistes et agronomes afin que des solutions soient trouvées pour sauver les arbres de Bavière ou ceux de la Forêt-Noire.

La forêt constitue un charbon potentiel. Il y a des millions d'années, de vastes étendues boisées s'étendaient au Nord de la Ruhr. Des couches de roches épaisses de milliers de mètres les comprimèrent en veines de charbon qui allaient procurer un stock énorme d'énergie noire: La première base de l'industrie lourde allemande était établie... Une autre base fut fournie par l'afflux d'hommes jeunes et musclés venus des provinces de l'Est. C'était une main-d'œuvre pas chère, pleine de bonne volonté, peu exigeante et qui conserva ces qualités durant cent ans! Les capacités techniques des spécialistes des mines formèrent la troisième base. Les hommes arrachèrent le charbon des entrailles de la terre et le transformèrent en fer et en acier. Finalement, la proximité des autres régions industrielles européennes joua un rôle important. Le prix des transports se trouva extrêmement réduit car les lourds convois de fer, coke et machines d'acier n'avaient qu'à emprunter le Rhin ou la Ruhr pour arriver à destination.

Voilà, expliqué en quatre points, le mystère de l'industrie de la Ruhr. Il est facile de comprendre que nos voisins européens en aient fait un monstre ou un mythe quand on se rappelle la tendance allemande à créer des légendes. Le paysage contribue aussi à faire naître la sensation que la terre se dérobe sous les pieds. Le pavé de la rue peut s'affaisser soudain ou tout un quartier doit être rapidement évacué parce qu'une ancienne galerie, enfouie sous les fondations des maisons, a décidé de s'écrouler. Vue avec une optique moderne, la région n'est toutefois plus du tout menaçante. Elle traverse pourtant une phase difficile de mutation, comme toutes les régions industrielles surannées d'ailleurs. Elle a trop de muscles qui malheureusement, ne sont pas assez flexibles!

Presque tous les habitants de la Ruhr descendent d'immigrés. Mais ils ne voudraient jamais en devenir eux-mêmes! Avec quel amour ils soignent les jardinets cachés derrière la grisaille des rangées de maisons! Et avec quelle satisfaction ils voient leurs pigeons-voyageurs rentrer au foyer! Ceux-ci ne peuvent que rapporter de bonnes nouvelles puisqu'ils sont revenus!

Cette région de mines et de hauts-fourneaux ne possède pas la belle prestance de la vallée de la Moselle ou de la chaîne des Alpes. Mais les fans de football de ces contrées n'oseraient jamais hurler à pleins poumons comme on le fait dans la Ruhr quand les deux clubs voisins Schalke et Borussia Dortmund s'affrontent en des mêlées turbulentes. Toutefois, dès qu'il s'agit de combat entre la flexibilité et l'habitude, c'est cette dernière qui l'emporte le plus souvent.

La Ruhr continuera de perdre sa puissance si l'on suit la logique de l'économie. Elle a été le moteur de l'Allemagne durant cent ans. Mais tandis qu'aujourd'hui, l'économie allemande vit davantage de l'exportation d'appareils de précision, la Ruhr a surtout une légende à vendre: celle que le charbon est l'unique matière première allemande. La contrée s'est fait un nom à force de ténacité et de persévérance et utilise ces mêmes qualités pour s'accrocher à une industrie sénescente. Grâce au pouvoir de ses voix, elle oblige les politiciens à accorder de hautes subventions pour la production d'articles que la Corée ou l'Inde fabriquent à bien meilleur marché.

Le mythe du charbon va rejoindre celui du prétendu manque d'espace vital en Allemagne. La hausse considérable du niveau de vie, en dépit de la perte de la moitié du pays, a depuis réfuté cette fable. Mais apparemment, le charbon et les surfaces cultivables restent toujours la richesse principale d'un peuple. Ignore-t-on encore que la matière première la plus lucrative est le cerveau humain?

Le public qui chaque soir remplit les nombreux théâtres de la Rhénanie du Nord-Westphalie – il y en a autant qu'à Londres – se rallie sans doute à cette doctrine. En tout cas, il a créé un autre mythe sans équivalent: celui qui entoure le théâtre de danse de Pina Bausch. Ce corps de ballet extraordinaire réside dans une ville où n'iraient le chercher ni son public international, ni ses mécènes: à Wuppertal, la cité du chemin de fer aérien. Enclavée dans une étroite vallée fluviale, cette ville est une utopie technique du 19ème siècle qui aurait pu sortir de l'imagination de Jules Vernes, mais qui survivra naturellement au 20ème siècle.

Je n'aurais pas lié Wuppertal à la région de la Ruhr s'il s'était trouvé un autre endroit dans mon récit où l'y nicher. Son élégance est bien trop discrète pour faire partie du district. Par contre, la colline de villas du vieil Alfred Krupp s'intègre fort bien à la Ruhr. A qui voulait-il donc en imposer quand il a fait bâtir ces propriétés à la Versailles? En tout cas, il ne put jamais égaler la distinction des anciens châteaux de la région. C'est bien un phénomène de l'époque de montrer «pour qui on se prend» en étalant une grandeur étouffante. Les quartiers généraux des grandes banques de Francfort en donnent un bel exemple, égalé par «L'anneau du Nibelung» de Wagner, le château Neuschwanstein du Roi Louis II de Bavière et bien sûr par la colline de villas de Krupp.

Durant très longtemps, les Allemands ont considéré le limes comme une démarcation dans leur civilisation. Avec le limes, une ligne de fortification gigantesque, les empereurs romains protégeaient la Germanie cultivée, c'est-à-dire l'Allemagne du Sud et de l'Ouest, des attaques déclenchées par les Germains sauvages du Nord et de l'Est. Selon la théorie, les tribus à l'intérieur du limes avaient une avance de 400 ans dans le domaine de la culture. Le développement de celles qui vivaient à l'extérieur suivait cahin-caha et jusqu'à aujourd'hui, n'aurait pas encore atteint les critères classiques européens. C'est du moins ce que l'on raconte à mi-voix. D'après les critiques, ceux qui habitent en dehors du limes n'ont pu devenir que des luthériens, des sergents prussiens, des «Bismarkiens», des socio-démocrates, mais jamais de vrais bons Allemands.

En contrepartie, pour les Allemands du Nord, les hommes au sud du Main (donc du limes) sont des gaillards peu sûrs, indignes de confiance, paresseux, incultes et sans aucun dons techniques.

Ces concepts ne valent pas grand-chose pour éclaircir les différences culturelles. Ils n'expliquent pas pourquoi la musique de Schütz, de Bach, d'Händel ou de Wagner est née dans la sobre Allemagne du Nord ou de l'Est tandis que le Sud, soi-disant en retard sur la technique, a construit les plus admirables cathédrales, palais et demeures de patriciens. Il est pourtant vrai que la façon de vivre change dès qu'on atteint le Rhin et la vallée du Main. Le limes n'élucide pas la création du protestantisme, mais sépare par hasard, les régions protestantes de celles où domine le catholicisme. Il s'agit donc d'une affaire de style de vie: austérité au Nord, jovialité au Sud. Le vin ne pousse pas à l'extérieur du limes. L'affectueux suffixe diminutif «lein» du Sud se transforme au Nord en «chen», une phonème palatale au son âpre. En fin de compte, les différences découlent d'une autre source: elles sont nées avec le Saint Empire romain germanique.

Durant les mille années de son existence, ce cauchemar des spécialistes de droit public a englobé non seulement une grande partie de l'Allemagne actuelle, mais aussi un bon morceau de l'Europe. Son centre de gravité ne se trouvait pas à Vienne, résidence principale de l'empereur qui régnait sur plus de 300 petits ou grands souverains. Les évêchés, les villes libres et les modestes résidences du Rhin et du Main formaient le vrai coeur de l'Empire. Un lacis de vieux droits sacrés et de devoirs liait les sujets aux autorités. L'empereur et ses tribunaux avaient la tâche de veiller à ce que personne ne se sente lésé. La relation qui s'établit au cours des siècles entre le haut et le bas de l'échelle était donc surtout basée sur la confiance et l'obligeance mutuelle.

Par contre, les territoires du Nord-Est étaient gouvernés par un petit nombre d'administrations rationnelles et progressives. On attendait des sujets qu'ils obéissent et non pas qu'ils se réclament d'anciens droits sacrés! Entre le paysan du Main et son empereur, il n'y avait que l'abbé de l'abbaye impériale. Mais au Nord, le seigneur des lieux, le préfet et surtout le roi de Prusse séparaient le paysan de l'empereur lointain.

Cet empire se nommait saint et il l'était, d'une façon un peu fabuleuse, comparé aux Etats qui l'entouraient. Il cherchait à se maintenir et non pas à s'élargir et ne faisait de mal à personne. L'empereur était déjà très heureux quand les Français et les Suédois le laissaient en paix et quand les Turcs ou les Prussiens ne tentaient pas de lui voler un morceau de ses terres.

Le coeur du vieil Empire se trouvait sur le Rhin, il y est retourné avec l'établissement de la République fédérale actuelle. La chaîne des centrales productrices d'énergie, des usines et des grands édifices d'administration qui font vivre 60 millions d'Allemands de l'Ouest, s'étend entre les cloîtres et les cathédrales de Xanten, Cologne, Bonn, Mayence, Spire et Worms, des lieux où les anciennes légions romaines vénéraient leurs dieux.

Une promenade sur le Rhin apporte un vrai témoignage historique. Les méandres du fleuve sont encombrés de chalands et de bateaux de plaisance bondés de touristes. Les guides pointent un doigt sur les châteaux, les montagnes, les villages dans les vignes et racontent les histoires qui y sont attachées. L'intérêt s'accroît quand on dépasse l'ancien siège des hauts-commissaires des alliés perché sur le Petersberg ou la villa d'Adenauer près de Rhöndorf et quand on aperçoit le célèbre pont de Remagen. Ces souvenirs sont également rentrés dans l'humus historique dont se nourrit l'Allemagne.

La relation d'un peuple avec ses capitales respectives est très révélatrice. Pour tous les Français, Paris est la métropole du monde. Les Américains n'apprécient pas beaucoup Washington et encore moins le gouvernement qui y réside. Ce lieu ne représente pas l'Amérique. Au cours de toute leur histoire, les Allemands n'ont possédé une vraie capitale que durant 75 ans et ils ne l'ont pas véritablement aimée.

Les dirigeants de la République démocratique allemande ont choisi Berlin comme capitale, mais ils ne règnent que sur la moitié de la ville de quatre millions d'habitants. Ils ont aussi dû se construire un mur de protection pour empêcher leurs citoyens de s'enfuir de l'autre côté. Berlin-Ouest revendique spirituellement l'honneur d'être la métropole de l'Allemagne fédérale. Peut-on toutefois accepter une métropole qui serait un îlot éloigné de 180 kilomètres de la frontière de son pays et seulement accessible à ses nationaux avec une permission russe?

Il ne sera pas facile d'expliquer un jour à la postérité l'imbroglio des revendications sur Berlin et les barricades qui se sont élevées en leur nom. La postérité voudra savoir comment les Berlinois se sont tirés d'affaire dans une ville contrôlée par quatre puissances et dans laquelle six systèmes de législation sont en vigueur. La construction du Saint Empire germanique fut sans doute un jeu d'enfant comparée à la création du statut de Berlin. Pourtant, excepté le blocus des entrées de la ville ordonné par les Russes en 1948 et autres perturbations intermittentes, les Berlinois acceptent leur vie comme si elle était la norme. En fait, ils n'ont pas le choix, car la paix en Europe dépend de la bonne cohabitation des puissances en résidence à Berlin.

Berlin renferme dans ses murs – pour utiliser ce cliché au sens littéral – deux pandas, le buste de Néfertiti, le Kurfürstendamm (un long boulevard élégant), la plus folle vie nocturne du continent, un centre de congrès qui ressemble à un navire échoué, une population turque aussi nombreuse que celle d'une grande ville de Turquie, une foule d'agents de quelques deux douzaines de services secrets, 65 000 étudiants, les chauffeurs de taxis les plus bavards de la partie nord du globe et un paysage de lacs et de forêts qui pourrait sortir d'un conte de fées.

Bonn a du mal à suivre, bien que cet ancien quartier général de la IIème légion romaine (Minerva) ait 1200 ans de plus que Berlin. La ville donne dans la modestie. Les annales ne la mentionnent toutefois plus comme capitale provisoire, attribut qu'elle portait au début de la création de la République fédérale. Ses magnifiques avenues datent de l'époque à laquelle le souverain régnant était un archevêque prince électeur et premier paladin de l'Empire. Bonn ne possède pas encore de lieu commémoratif où les potentats étrangers en visite officielle pourraient venir s'incliner. Les responsables politiques pensent certainement que la maison natale de Beethoven suffit assez pour éveiller un brin de recueillement chez les visiteurs.

Cette ville d'érudits et de bureaucrates n'aime pas l'emphase. Le souvenir de l'humour sarcastique d'Adenauer réduit vite au silence les politiciens qui s'y essaient. Les citoyens allemands ne font pas oublier à ceux de Bonn qu'ils s'ennuient à mourir devant leurs écrans de télévision, à l'heure des nouvelles politiques. Toujours les mêmes images d'édifices gouvernementaux banaux agrémentés de personnages interchangeables! Mais les dirigeants du pays ne peuvent changer de rôle. Ils se consolent de la réserve de leurs compatriotes avec les admirables paysages qui entourent la capitale: le «Drachenfels» et les Sept-Montagnes. Quant aux citoyens allemands, ils concentrent leurs sentiments amicaux – s'ils en nourrissent bien sûr – sur les responsables politiques de leur région respective.

Munich et Stuttgart en offrent d'excellents exemples. Les deux villes sont les anciennes résidences de deux princes électeurs importants. Munich, siège de gouvernement, a presque le même âge que l'Etat de Bavière, le plus ancien et plus vénérable de toute l'Allemagne. Il a fallu plus de temps à Stuttgart avant qu'elle ne devienne une légende, sans doute parce que les princes de l'illustre maison des Hohenstaufer préféraient parcourir les routes d'Italie ou du Saint Empire au nom de l'empereur plutôt que de rester dans leur fief. Stuttgart a pourtant rattrapé le temps perdu. Les Souabes tolèrent même que l'actuelo chef de la province imite les souverains Hohenstaufer et passe autant de temps qu'eux à l'extérieur de ses terres. On sait qu'il le fait pour l'économie du pays quand il manie les baguettes en Chine ou trinque à la vodka avec les dirigeants du Kremlin.

Par ailleurs, le politicien numéro 1 de Stuttgart partage sa passion des voyages avec son collègue de Munich qui lui, s'assied même aux commandes des jets afin d'arriver plus vite à Tirano, Tel Aviv, Toulouse ou Tokio. Ce Bavarois impétueux ne reste ainsi jamais très longtemps éloigné de ses citoyens dont il s'est assuré l'attachement, non seulement par sa capacité d'attirer les grosses industries dans la région, mais aussi parce que les Allemands du Nord ne peuvent pas souffrir sa personne.

En effet, la cordiale antipathie qui règne entre le Sud et le Nord, l'Est et l'Ouest, fait autant partie de l'Allemagne que la méchante fée dans les contes d'enfants. Les Prussiens du 19ème siècle, forts de leur supériorité militaire et technique, ne cachèrent jamais le mépris qu'ils éprouvaient envers les habitants des régions au Sud du limes. En revanche, le Berlinois avait une réputation de vantard en Bavière et d'indiscret dans la province souabe. Tout s'effondra lorsqu'Hitler perfectionna la dominance prussienne jusqu'à en faire un instrument de mort. Si le Bavarois restait un paysan et le Souabe un naïf, l'Allemand du Nord n'était plus qu'outrecuidant.

On pourrait faire des gorges chaudes des Bavarois avec leurs chapeaux à plumes et leur penchant pour la chope. Mais tandis que le Nord de l'Allemagne s'amusait à comparer la politique bavaroise à des querelles de bistro et les Souabes à de petits entrepreneurs de maçonnerie, la technologie d'avant-garde s'installait dans le Sud de l'Allemagne. Dans ces parts, l'industriel ne fut jamais considéré comme un exploiteur, mais accueilli à bras ouverts par une administration prévoyante.

Les résultats s'inscrivent dans les nouvelles structures industrielles de ces régions et dans le nombre toujours croissant de techniciens féconds. De grands groupes tels Mercedes et MBB, BMW et IBM ont transformé la campagne autour de Stuttgart et de Munich. Mercedes s'enorgueillit aujourd'hui d'un haut niveau d'automatisation. Il se peut qu'un jour, la main de l'homme ne joue plus aucun rôle dans la production. Les anciens de Stuttgart se souviendront alors des années 80 et parleront de l'ouvrier perfectionniste des chaînes de montage de Mercedes: il accomplissait le même mouvement cent fois par jour; il refermait les portes qu'il venait de monter sur la 300 E et sentait à la façon dont elles claquaient si la carosserie correspondait aux exigences qu'on attendait de la voiture à cette époque-là. Il se peut qu'on ait encore besoin de cet homme en l'an 2000. Pour le moment, la création de milliers de jeunes entreprises a mis le Nord du pays à l'arrière-plan. Celui qui a l'esprit d'initiative va s'installer dans le Sud.

Munich et Stuttgart ne gouvernent toutefois pas une idylle industrielle sereine. La rivalité ancestrale qui oppose le Nord et le Sud du pays, se retrouve sous une forme atténuée entre la Bavière et le Bade-Wurtemberg. Ces deux régions nourrissent toujours d'anciens préjugés l'une contre l'autre. C'est une vieille tradition démocratique que de ne jamais oublier les torts qu'on s'est faits réciproquement, il y a un ou deux siècles! Bavarois et Souabes perpétuent cette coutume, chacun mimant l'innocence bafouée à tour de rôle.

Si quelques divergences séparent les Allemands du Sud, ils partagent toutefois en commun un amour baroque de la vie. Ils adorent leurs paysages solennels, les lacs devant le panorama des montagnes aux pics enneigés, les clochers bulbeux de leurs églises, les processions religieuses et les enseignes dorées avec des ours, des cygnes ou des grappes de raisin qui ornent les auberges des villages. L'Allemand du Sud révèle tout son impétuosité durant le Mardi-Gras, quand les rues s'emplissent de sorcières, de masques d'oiseaux aux longs becs et d'énormes têtes de nourrissons. Les mythes et les contes d'antan s'enchevêtrent alors en un kaléidoscope dément. Les fous de quelques jours se déchaînent pour l'année entière. Le Saint Empire romain germanique refait surface au cours des fêtes de Mardi-Gras et de Carnaval.

Un étranger arrivant dans la région pendant cette période en février, ne pourrait guère délimiter les pays voisins, l'Autriche, la Suisse pas plus que la province alsacienne. Si les masques et les bonds des fous diffèrent, leur sens en est le même. Les Allemands ne se sentent plus, comme hier encore, isolés ou même exclus de la grande famille européenne. Les frontières ouvertes permettent de passer sans difficulté d'une nation à l'autre et les jeux des douaniers et contrebandiers ne sont plus d'actualité.

Les frontières hermétiques dont s'est entourée l'Allemagne de l'Est n'en sont que plus controversées parmi la population ouest-allemande. Si Berlin reste la seule ville encerclée aujourd'hui, elles l'étaient toutes autrefois. L'Empereur Conrad III qui avait cerné la cité renégate de Weinsberg sur le Neckar, décida d'user de psychologie pour inciter les assiégés à se rendre. Il promit leur liberté aux femmes de la ville. De quoi vivraient-elles après avoir abandonné maisons et biens? rétorquèrent-elles. Considérant cette réponse justifiée, l'empereur permit à chaque femme d'emporter ce dont elle pourrait se charger. Les portes de la ville s'ouvrirent à l'heure indiquée pour laisser passer une longue procession de femmes, chacune portant son mari sur son dos. Un stratagème qui désarma le courroux du vainqueur!

Jusqu'à présent, il n'a été question que des hommes allemands, affairés à missionner les païens, construire des digues ou des églises, extraire du charbon, jouer au football et programmer des ordinateurs. Mais tout au long de ce récit, aucun mot n'a encore été dit sur les femmes...

C'est une inattention que nous partageons malheureusement avec bien d'autres peuples. Et pourtant, que les femmes allemandes d'aujourd'hui rappellent celles de Weinsberg! Durant les deux grandes guerres de ce siècle, ce sont elles qui ont maintenu la maison en ordre, élevé les enfants et aidé les maris qui n'étaient pas tombés à se bâtir une nouvelle existence. Les hommes ont bien tenté ultérieurement de retrouver leur apanage, mais sans y parvenir vraiment. Les femmes ont déblayé les ruines, inventé l'émancipation et conquis leur place sur les bancs des universités. Elles sont aujourd'hui en train de s'infiltrer dans la politique établie, et de donner à l'Allemagne une physionomie nouvelle. Personne n'oserait la définir pour l'instant, mais certains qui connaissent les femmes, parlent d'un développement prodigieux...

So vielseitig wie in seinen Landschaften ist Deutschland auch in seinen Grenzen. Die Bundesrepublik reicht im Süden an den Alpenrand heran, im Norden an die Küsten zweier Meere, im Westen gibt es alte Nachbarschaften, im Osten eine neue, innerdeutsche Trennungslinie – die Folge jenes letzten Krieges, der von deutschem Boden ausgegangen ist. Geschlossen und gesichert nach der einen Seite, war Deutschland auf der anderen von jeher offen zum Wasser. Übers Wasser kam das Christentum mit den irischen Bekehrern, vom Wasser kamen später auch die Wikinger, heidnische Herausforderer für das Christentum Europas, und segelten den Rhein hinauf bis ins heilige Köln. Zur Kaiserzeit lag Deutschlands Zukunft auf dem Wasser. Heute ist vor allem Deutschlands Freizeit dort zu finden, alljährlich im Sommer zur Reisezeit – und jedes Jahr im Frühling, wenn die Spitzensportler sich zur Kieler Woche treffen.

Germany's wide variety of scenery is reflected in the changing landscapes of its borders. The south is bounded by the massive block of the Alps, whereas the flat coast of the north is washed by the North Sea and the Baltic. Time-honoured neighbours range along an inconspicuous western border, while to the east runs the border to the German Democratic Republic, slashed through the old German lands as a result of the last World War. The Alps have always been a protective wall; the coast was open to every kind off invasion. The boats of St Boniface and other Irish missionaries arrived in the eighth century, but their work of converting the heathen was soon to be challenged when the formidable longships of the Vikings thrust up the Rhine to Cologne. Later the northern harbours became the lifeline of Germany's trade under the Kaisers. Now holiday-makers invade the coastline in summer.

Les frontières de l'Allemagne fédérale sont aussi diversifiées que ses paysages. Le pays s'arrête à la chaîne des Alpes dans le Sud. Au Nord, il est bordé par les côtes de deux mers. Il a de vieux voisins à l'Ouest et une nouvelle ligne de démarcation à l'Est: la conséquence de la dernière guerre mondiale … Si l'Allemagne est bien fermée et protégée d'un côté, elle a été de tous temps accessible par la voie des eaux dans l'Est et dans le Nord. Les Irlandais, apporteurs du christianisme, ont traversé l'eau. Ils ont été suivis des Vikings païens qui remontèrent le Rhin jusqu'à la Cologne Sainte. A l'époque de l'empire, l'avenir de l'Allemagne reposait sur l'eau. Aujourd'hui, ses habitants y passent surtout leurs moments de loisirs. Les bords des fleuves et de la mer sont envahis à la belle saison par les vacanciers. Et chaque année au printemps, les grands sportifs se retrouvent aux régates de «la semaine de Kiel».

Vom Wasser kam auch der Wohlstand in den Norden. In Neuharlingersiel wie in manchen anderen der schönen Fischerdörfer in Ostfriesland fahren immer noch die Krabbenkutter aus. Weiter fuhren schon im Mittelalter von Lübeck aus die Kaufleute. Sie schlossen sich im dreizehnten Jahrhundert mit anderen Städten zur „Hanse" zusammen. So wehrten sie sich gegen Krieg und Seeräuberei – und wuchsen im Schutze der Handelsfreiheit. Die alten Viertel zeugen heute noch von ihrem Reichtum.

It was from the water that prosperity came to the north. In Neuharlingersiel, as in many other attractive fishing villages in East Friesland, the shrimp boats still put out to sea. In the Middle Ages the merchants from Lübeck were more adventurous. They got together in the 13th century with other cities to form a commercial association called the Hanseatic League. This was their way of defending themselves against war and piracy – and they prospered under the protection of the freedom of trade. The old quarters of the city still bear witness to their immense wealth.

La prospérité est aussi venue de l'eau dans le Nord. Les chalutiers vont toujours pêcher le crabe au large de «Neuharlingersiel» ou d'autres jolis villages de pêcheurs de la Frise Orientale. Au Moyen Age déjà, les commerçants s'embarquaient à Lübeck. Avec d'autres villes, ils fondèrent «la Hanse» au 13ème siècle, une ligue qui leur permettait de se défendre contre les guerres et la piraterie. Les vieux quartiers témoignent encore de leur richesse.

Hamburg ist das Tor zu den Meeren der Welt. Gegründet wurde hier vor mehr als tausend Jahren eine feste „Hammaburg"; groß aber wurde die Stadt mit dem Hafen: ein eigener Feiertag erinnert daher an den eigentlichen Gründungstag, den „Überseetag" am 7. Mai. An diesem Tag des Jahres 1189 wurde angeblich ein Freibrief Kaiser Friedrich Barbarossas gesiegelt. Der Brief ist eine Fälschung, wie man heute annimmt, die Zoll- und Schifffahrtsprivilegien jedoch, die er versprach, die blieben um so wirklicher und wichtiger.

Hamburg, Germany's gateway to the world's oceans, started its history over a thousand years ago as a Christian settlement with a castle, the Hammaburg, that was to give the city its name. Hamburg has its own public holiday, Overseas Day, on May 7th, for it was supposed to have been on this day in 1189 that the Emperor conferred on the town an all-important charter of trading privileges. The charter itself is unfortunately a thirteenth century forgery, but there is no doubt about the status of Hamburg as one of the world's greatest ports.

Hambourg est la porte sur les mers du monde. «Hammaburg», forteresse près de l'obstacle, fut fondée il y a plus de mille ans. La ville prit toutefois de l'importance avec le port. Le 7 mai de l'an 1189, l'empereur Frédéric Barberousse aurait apposé son sceau à une lettre de privilèges favorisant la ville. La lettre était un faux, mais les droits et avantages qu'elle promettait restèrent concédés aux habitants.

Von allen Gütern, die aus Übersee nach Hamburg kamen, wurde der Pfeffer wohl am meisten genannt: er trug den Kaufleuten den Namen „Pfeffersäcke" ein. Sie nahmen ihn hin – mit Stil, ohne jede Verlegenheit. Noch das Rathaus von 1897, das sechste in der Stadtgeschichte, demonstriert das Selbstbewußtsein einer unerschütterlichen Zuversicht. Am Wasser liegt Hamburg, aber nicht am Meer. Die Schiffe, die von hier nach Rio fahren oder nur bis Helgoland, fahren mehr als hundert Kilometer lang noch auf der Elbe, ehe sie die See erreichen.

Of all the world's wares that flooded into Hamburg, the most valuable and profitable used to be pepper. It was the pepper trade, and no doubt the portly figures of those who profited from it, that gave the local merchants the nickname 'pepper-sacks'. They regarded the name as a compliment rather than an affront. That same spirit of unshakeable self-confidence is to be found in Hamburg's architecture, notably in its imposing Town Hall and harbour buildings. A glance at the map will show that ships have to sail nearly 70 miles up the Elbe to dock in Hamburg.

Le poivre était la plus importante denrée qui arrivait d'outremer dans le port de Hambourg. Il donna leur sobriquet: «sacs de poivre» aux commerçants de la ville. Ceux-ci le portèrent avec fierté. Les façades richement décorées de l'Hôtel de ville, le sixième dans l'histoire de la ville, témoignent de l'assurance inébranlable des Hambourgeois. Hambourg est située au bord de l'eau, mais non pas au bord de la mer. Les navires qui quittent son port doivent remonter l'Elbe durant 100 km avant d'atteindre le large.

Der Stadtstaat Hamburg hat nicht nur den Reiz der Millionenstadt, das irritierende Gemisch von Geldverdienen und Gemütlichkeit, er bietet auch in seinen engen Grenzen viele Freizeitangebote: die Binnenalster für den Wassersport und links der Elbe gleich den größten Obstgarten im ganzen Norden, das „Alte Land" zwischen Stade und Finkenwerder. Die alten Marschendörfer sind besonders in der Zeit der Baumblüte das Lieblingsziel der Hamburger – und die zeigen es stolz ihren Gästen.

The great city of Hamburg is also an independent state within the Federal Republic. The metropolis gives a hard-headed, business-like impression combined with a distinctly easygoing atmosphere that outsiders can find somewhat disconcerting. Hamburg offers a wealth of leisure activities, notably watersports, but is also famed for the 'Alte Land' a wide expanse of orchard country east of the River Elbe. The charming villages of these marshlands are a local showpiece and a favourite place for outings, especially when the fruit trees are in blossom.

Hambourg qui constitue un «Land» à elle seule, offre de nombreuses places d'agrément malgré ses étroites frontières: les bords de l'Alster pour les sports nautiques, et à gauche de l'Elbe, le plus grand verger de tout le Nord, le Vieux Pays, entre Stade et Finkenwerder. Les anciens villages dispersés dans une campagne magnifique, sont les buts d'excursion préférés des Hambourgeois. Et ils les montrent avec fierté à leurs visiteurs.

Der größte Hafen nächst Hamburg war Bremen. Als die Weser zu verlanden drohte, gründeten die Bürger an der Mündung Bremerhaven und sicherten sich so den Einfluß ihrer Stadt, den Otto I. mit einem Marktprivileg einst begründet hatte. Nicht Bischöfe, nicht Fürsten, sondern Bürgermeister stehen seit jeher an der Spitze dieser Stadt. Die Tugenden des Handelsbürgertums haben sich unweit von Rathaus und Dom 1404 mit dem Roland ein eigenes Denkmal gesetzt, ein stattliches Standbild der Freiheit und Vorbild für andere Städte im Reich.

Bremen, on the Weser, used to be a port second only to Hamburg. The city lies well inland, and when in the 19th century its livelihood was threatened by accumulating silt in the Weser, the mayor decided to build a new port, Bremerhaven, at the very mouth of the river. Dukes and bishops may have laid down the law elsewhere in Germany, but in Bremen the mayors reigned supreme. The great statue of Roland, dating from 1404, stands before the Town Hall, an impressive monument to the almost defiant pride and independence of Bremen's townspeople.

Brême est le deuxième port d'Allemagne après Hambourg. Comme la Weser menaçait de se dessécher, les habitants de la ville fondèrent Bremerhaven à son embouchure, préservant ainsi l'influence de leur ville qu'Otto I avait autrefois édifiée. Ni les évêques, ni les princes, mais des bourgmestres ont de tous temps régné sur cette ville. Les vertus de la bourgeoisie commerçante sont symbolisées par la fière statue de Roland dressée en 1404 en face de la cathédrale.

Was an den Küsten angelandet wurde, mußte ins Salz. Und wer Salz sagt – soviel wußte man im Mittelalter – der sagt Lüneburg, das vor tausend Jahren schon berühmt war wegen seiner Solequellen. Gesalzen waren auch die Preise für das kostbare Gut ganz in Weiß, im Mittelalter war es beinahe mit Gold aufzuwiegen. So war die Stadt vom Salz ganz beherrscht: die „Sülfmeister" alleine bildeten den Rat der Stadt. Ausdruck dieser Blüte ist das prachtvolle Rathaus der Stadt, gebaut vor etlichen Jahrhunderten – bis Lüneburgs Bedeutung mit dem Dreißigjährigen Krieg zu

The name of Lüneburg was once synonomous with the word salt, for it was the saline springs here, famous since the tenth century, that provided all the salt needed for preserving imported food. Salt was expensive and as highly prized as gold, so it is not surprising to discover that the town council of Hanseatic Lüneburg was completely dominated by officials from the salt industry. The mediaeval Town Hall was constantly extended as Lüneburg's prosperity grew, but the Thirty Years' War (1618 – 1648) marked the end of the town's influence.

Ce qui arrivait de la côte devait être mis dans le sel. Et déjà au Moyen Age, qui disait sel parlait de Lunebourg, connue pour ses salines depuis au moins mille ans. Les prix de cette précieuse denrée étaient également salés! Ils se mesuraient à ceux de l'or, du moins au Moyen Age. Le sel dominait la ville et lui apporta sa prospérité. Un des témoignages en est le somptueux Hôtel de ville qui date de 1200.

Ende ging. Früher erstreckten sich Wälder im Süden der Stadt. Sie wurden abgeholzt für den Schiffsbau an der Küste und verfeuert unter den Sudpfannen der Lüneburger Sole. Das Waldgebiet wurde zur Heide, das so mit doppeltem Recht den Namen nach der Salzstadt führt. Heute ist die Lüneburger Heide Naturschutzgebiet mit Birken, Wacholder und Heidekraut, am schönsten im Herbst und „wenn abends die Heide blüht...", wie es in einem der vielen Lieder heißt, die die Heide besingen.

In ancient times there were extensive forests to the south of the town. But they were felled to provide wood for building ships on the coast and to fire the furnaces under Lüneburg's brine coppers. The forest became a heath and thus bears the name of the salt city with doubly good reason. Today the Lüneburger Heide is a nature reserve with birch trees and juniper shrubs and heather. It's at its loveliest in the autumn and "in the evening when the heather blooms ..." as it says in one of the many songs inspired by the heath.

Des forêts s'étendaient autrefois dans le Sud de la ville. On les coupa pour la construction de navires et le chauffage des chaudières des salines. La région déboisée devint une lande. Aujourd'hui, la «Lüneburger Heide» ou la Lande de Lunebourg est un parc national d'une grande beauté empreinte de nostalgie et de mystère. Les vallons tapissés de bruyère, de genévriers, les chemins bordés de bouleaux, les sombres forêts de pins offrent les plus beaux paysages durant les mois d'automne.

Als Marktort an der Leine ist Hannover groß geworden, und noch heute trifft sich hier die Industrie der Welt alljährlich zur „Hannover Messe." Mit sechstausend Firmen aus aller Herren Länder ist sie die größte Industrie-Ausstellung der Erde. Die prächtige Kuppel des neuen Rathauses, 1901 bis 1913 am Maschpark erbaut, erinnert mit den neuen Fronten der Umgebung an den Wohlstand dieser Stadt, die heute Landeshauptstadt Niedersachsen ist. Nicht so deutlich ist das Angedenken an den größten Denker dieser Stadt, an Gottfried Wilhelm Leibniz.

Hanover started out life as a market town on the River Leine, and today there is still a market here where industry from all over the world comes to trade its wares: the "Hannover Messe". With six thousand firms showing their products, the Hanover Trade Fair is the biggest industrial exhibition in the world. The splendid dome of the New Town Hall, built in 1901–13 on the edge of the Masch Park, and the reconstructed facades of the buildings around it are evidence of the prosperity of this city, today the capital of Lower Saxony.

Hanovre s'est développée comme centre commercial dans la vallée de la Leine. Aujourd'hui, la foire de Hanovre attire annuellement toutes les grandes industries du monde. Les six mille firmes qui s'y retrouvent font d'elle la plus grande exposition industrielle de la terre. La haute coupole du nouvel Hôtel de ville, édifié de 1901 à 1913, atteste la richesse de la ville qui est la capitale de la Basse-Saxe. Le monument du grand penseur de Hanovre, Gottfried Wilhelm Leibniz est bien moins évident.

Volle vierzig Jahre lang, von 1676 bis zu seinem Tod im Jahre 1716, diente Leibniz wechselnden Herrschern und derselben Vernunft. Er regelte die Angelegenheiten der Finanz, er wurde der Erfinder der Differentialrechnung und der ersten Rechenmaschine, er verteidigte den Kurfürst Georg, bis der König war in England, und er dachte schließlich den Gedanken einer „Theodizee", der Rechtfertigung Gottes angesichts des Bösen in der Welt. Dennoch wäre er den meisten nicht geläufig, gäbe es da nicht den Keks, der seinen Namen trägt.

For forty years no less, from 1676 to when he died in 1716, Leibniz served a succession of rulers and a corresponding variety of policies. He was an arranger of finances, the inventor of differential calculus, successful legal champion of Elector George's claim to the English throne, and formulator of the idea of a "theodicy", a justification of God in the face of the evil in the world. And for all of that, his name wouldn't mean much to most people if it weren't for the biscuit on which it is printed.

De 1676 à sa mort en 1716, Leibniz a servi plusieurs maîtres, mais toujours la même raison. Il régla le problème des finances, inventa le calcul infinitésimal et la première machine à calculer. Il défendit le prince-électeur Georges jusqu'à ce que celui-ci monte sur le trône anglais et écrivit son ouvrage «Théodicée», une justification de l'existence de Dieu face à la méchanceté dans le monde. Et pourtant, son nom serait à peine connu si ce n'était pas également celui d'une marque populaire de biscuits!

Am Wasser gab es einen Markt, und „am Wasser" hieß auf Sächsisch „Kille". Daraus wurde „Celle", die Stadt an der Aller. Hier saßen die Fürsten der Lüneburger Heide, und seit etwa 1700 saßen sie feudal im Schloß, das heute noch die Stadt beherrscht. Reich war einst auch Braunschweig, das mit Heinrich dem Löwen für immer verbunden ist. Als die Herzöge dann ihre Residenz nach Wolfenbüttel verlegten, blühte auch in Braunschweig bürgerliches Selbstbewußtsein auf. Der Altstadtmarkt mit der Martinikirche hat seit jenen Tagen als Ensemble überdauert.

In Saxon times, there used to be a market here beside the river Aller, and the town's present name, Celle, derives from the Saxon 'Kille', meaning 'at the waterside'. Celle became the residence of the Dukes of the Lüneburger Heide, whose mainly seventeenth century palace still lies at the heart of the town. To the southwest, Braunschweig (Brunswick) managed to break away from its feudal rulers for two and a half centuries to become one of the powerful towns of the Hanseatic League.

La ville sur l'Aller doit son nom au vieux mot saxon «Kille» qui signifiait «sur l'eau». Du 14ème au 18ème siècle, Celle fut la résidence des ducs de la Lande de Lunebourg dont le château domine toujours la ville. Henri le Lion éleva Brunswick au rang de ville. Après que les ducs eurent transféré leur résidence à Wolfenbuttel, Brunswick connut son âge d'or quand elle entra dans la ligue hanséatique. Le Vieux Marché et la «Martinikirche» datent de cette époque.

An der innerdeutschen Grenze zeigen die Verkehrsschilder immer noch die Entfernung bis Berlin. Die alte deutsche Hauptstadt ist nicht vergessen, auch wenn die Stadt nur 75 Jahre die Hauptstadt aller Deutschen war. Über Jahrhunderte war sie die Hauptstadt Preußens. Durch die Folgen des zweiten Weltkrieges und die Nachkriegsentwicklung ist Berlin seit 1961 eine durch Mauer, Stacheldraht und Wachtürme geteilte Stadt.

The signposts along the inner German frontier still show the distance to Berlin, for the city has not been forgotten, although it was the capital of the whole of Germany for only 75 years. Berlin has been for centuries the capital of Prussia. The Second World War and post-war-developments have meant that since 1961, Berlin has been a city divided by a wall, barbed wire and watchtowers.

Des panneaux indiquant la distance jusqú à Berlin se dressent encore à l'intérieur des frontières allemandes. Il ne faut pas oublier l'ancienne capitale de tous les Allemands, même si elle ne l'a été que durant 75 années. La ville qui durant des siècles fut la capitale de la Prusse, est aujourd'hui partagée: une conséquence de la seconde guerre mondiale et du développement qui s'ensuivit. Depuis 1961, des murs, des fils barbeelés et des miradors séparent Berlin en deux parties.

Die Geschichte der Stadt begann mit zwei Dörfern im märkischen Sand: Cölln und Berlin. Groß wurde die Stadt dann unter dem Adler der Preußen. Die Kurfürsten erhoben sie zur Residenz, sie öffneten die Grenzen den verfolgten Hugenotten, die durch ihren Einfallsreichtum einen wichtigen Beitrag zur Aufwärtsentwicklung Berlins leisteten. Das schönste Denkmal aus der Preußenzeit ist immer noch das Schloß der Königin Charlotte nach dem Vorbild Versailles.

The history of the town began with two villages, Berlin and Cölln, set in the sandy soil of Mark Brandenburg. Berlin rose to power under the aegis of the Prussian eagle, for the Electors made it their residence and allowed entry to those persecuted Huguenots whose ingenuity was to contribute so greatly to the city's development. The finest memorial of the Prussian era is surely Queen Charlotte's Palace, modelled on Versailles, a contrast to the jagged ruins of the Kaiser Wilhelm Gedächtniskirche which stand on the Kurfürstendamm as memorial to peace.

L'histoire de la ville commence avec deux villages dans les Marches: Cölln et Berlin. Elle prit ensuite de l'ampleur sous l'aigle de la Prusse. Les princes-électeurs en firent leur résidence. Ils ouvrirent les frontières aux Huguenots chassés de France qui contribuèrent largement au développement de Berlin. Le château de la reine Charlotte, construit sur le modèle de Versailles, reste le plus beau monument de l'epoque prussienne. Depuis la chute de la Prusse, la ruine de la Gedächtniskirche dans le Kurfürstendamm est devenue un symbole de la paix.

Im letzten Krieg ging Preußen unter und die Ruine der Kaiser-Wilhelm-Gedächtniskirche auf dem Kurfürstendamm steht nunmehr als Mahnmal für den Frieden. Der Kurfürstendamm mit Gedächtniskirche und Europa-Center gilt heute als Zentrum West-Berlins, von den Berlinern nur kurz Ku'damm genannt. Dieser große Boulevard ist auch ein Anziehungspunkt für Touristen. Außer Straßencafés und Geschäften findet man hier eine Fülle von Restaurants, Kinos, Theatern und Nachtlokalen. Die Namen der großen Parade-Alleen verraten den Gang der Geschichte.

The last war saw the downfall of Prussia and since then the ruins of the Kaiser-Wilhelm Commemorative Church have stood on the Kurfürstendamm as a memorial to peace. The Kurfürstendamm, known to the residents simply as the 'Ku-damm,' with the Kaiser Wilhelm church and the Europa Center, is now the heart of West Berlin. This great boulevard is also a tourist attraction, with pavement cafes, shops, numerous restaurants, cinemas, theatres and nightclubs. The names of Berlin's fine boulevards record famous people and events in the city's history.

Sur le Kurfürstendamm, la ruine de la Kaiser-Wilhelm-Gedächtniskirche (église commémorative de l'empereur Guillaume 1), détruite durant la dernière guerre, est aujourd'hui un monument dédié à la paix dans le monde. Le Kurfürstendamm, appelé familièrement „Kudamm" et sur lequel se dresse également l'Europa-Center, constitue le centre de Berlin-Ouest. Avec ses cafés à terrasses, ses restaurants, ses cinémas et ses magasins, ses théâtres et ses boîtes de nuit, ce vaste boulevard animé est une attraction pour les touristes.

1920 ist Berlin entstanden, wie man es heute noch als Hauptstadt im Gedächtnis hat: zusammengelegt aus acht Städten, 59 Landesgemeinden und 27 Gutsbezirken. Noch heute gibt es 55 Dorfkirchen in der Dreimillionenstadt. Beim Überblick jedoch dominiert das moderne Berlin: im westlichen Teil der Stadt das geschäftige Treiben auf den großen Boulevards, Vergnügungs- und Einkaufsstraßen und im östlichen Teil der Alexanderplatz, der Fernsehturm (365 m) und nebenan der alte Berliner Dom.

By 1920 Berlin had become the capital city that is still remembered today; it comprised eight towns, fifty-nine rural communities and twenty-seven landed estates. There are still fifty-five parish churches in this city of three million inhabitants, although they are overshadowed by modern Berlin. In the western part of the city, there is a bustle of activity along the great boulevards and in the entertainment and shopping districts, while the east has its landmarks of Alexanderplatz, the television (1,760 ft. high) and nearby the old Berlin Cathedral.

En 1920, Berlin était créée comme elle est restée dans les souvenirs: une réunion de huit villes, 59 communes et 27 domaines. Aujourd'hui encore, la ville de 3 millions d'habitants renferme 55 églises paroissiales. Pourtant, la physionomie moderne de la métropole domine à l'Ouest: l'animation des grands boulevards et des rues commerçantes; à l'Est: l'Alexanderplatz, la Tour de télévision (365 m) et l'ancien Dom berlinois juste à côté.

Am waldreichen Hang des Habichtswalds, hoch über Kassel, liegen Park und Schloß Wilhelmshöhe. Hier sollte die Natur durch Kunst geadelt werden nach der Mode des Barock: Auf dem 72 Meter hohen Gipfel steht ein Herkules von annähernd 10 Metern Höhe; aus dem Mund des Riesen, den er fällte, sprudelt die Kaskade bis hinab ins Tal. Der Dichter Friedrich Gottlieb Klopstock würdigte schon 1774 das neue Wahrzeichen der Stadt: „Mein Gott, welch einen großen schönen Gedanken hat euer Fürst da in unseres Gottes Schöpfung hineingeworfen."

Kassel is famous not only for its great collection of Rembrandt's paintings, but also for the extraordinary baroque palace of Wilhelmshöhe high above the town. Perched on a hilltop is an enormous statue of Hercules, over thirty feet high, above a stone giant that he has evidently vanquished. From the giant's mouth, cascades of water tumble down to a lake in the valley below. In 1774, the poet Klopstock praised the city's unique landmark when he wrote, "My God, what a great and beautiful thought your prince has cast into God's creation".

Le parc et le château de Wilhelmshöhe bâti à la fin du 18ème siècle, qui servit de prison à Napoléon III, s'étagent au-dessus de Kassel, sur le versant boisé du «Habichtswald». En cet endroit, l'art baroque est supposé ennoblir la nature en la personne d'un Hercule colossal qui se dresse sur un mont de 72 mètres de hauteur. Une cascade ruisselle de la bouche du géant de 10 mètres jusque dans le fond de la vallée.

Was Karl der Große mit dem Schwert begonnen hatte, versuchte sein Sohn mit dem Wort: Zur Missionierung der Sachsen gründete Ludwig der Fromme 815 eigens das Bistum Hildesheim. Noch heute ist die Stadt vor allem eine Stadt der Kirchen. Auch Duderstadt und Hameln haben viel von ihrem eigenen Charakter bewahrt. Duderstadt bietet das schöne Bild einer geschlossenen Stadt, Fachwerk, von Linden umgeben. Aus Hameln soll ein sagenhafter Rattenfänger die Kinder der Stadt einst entführt haben – Rache für den Geiz der Herren im Rat.

What Charlemagne had started with the sword, his son tried to continue with the word: Louis the Pious personally founded a bishopric in Hildesheim in 815 in the hope of converting the Saxons. Hildesheim is still a city of churches. Duderstadt and Hamelin have also preserved much of their original character. Duderstadt is attractive for the homogeneity of its architecture, the half-timbered houses with lime trees all around. From Hamelin the legendary Pied Piper is reputed to have abducted all the town's children in revenge for the miserliness of the city councillors.

Ce que Charlemagne avait commencé avec l'épée, fut continué avec la parole par son fils: Louis Ier le Pieux fonda l'évêché d'Hildesheim en 815 pour aider à l'évangélisation des Saxons. La ville renferme encore aujourd'hui de très belles églises. Duderstadt et Hamel ont également conservé leur cachet particulier. Duderstadt offre une image de ravissantes constructions à colombage entourées de tilleuls. A Hameln, un charmeur de rats aurait enlevé les enfants pour se venger des bourgeois avares de la ville.

„Das ist der Teutoburger Wald/Den Tacitus beschrieben/Das ist der klassische Morast/Wo Varus stecken geblieben." So heißt es augenzwinkernd in Heinrich Heines „Wintermärchen". Im neunzehnten Jahrhundert wurde der Höhenzug im Lipperland zur Wahlheimat nationalistischen Dünkels: In der „Hermannsschlacht" des Jahres 9 n. Ch. wurden die Germanen Deutsche, so hätte man es gern gesehen. Dabei gab es um die Zeitwende weder Deutsche noch Germanen, die ein gesamtgermanisches Bewußtsein hatten, nur Stämme und Familien.

In 7 A. D., the Roman commander Varus was dispatched with a huge army to create a new Roman province east of the Rhine. Two years later, Varus lay dead by his own hand in a treacherous marshy forest and few of his troops remained to tell the tale. The Germanic tribes, under their chief Hermann, had inflicted a terrible defeat on the invaders and succeeded in freeing the lands between the Rhine and the Elbe of Roman rule for ever. The site of this tremendous battle has never been identified for sure, but the Teutoburger Wald has always been a strong favourite.

«Porta Westfalica», tel est le nom donné aux gorges du Weser. «C'est le bois de Teutoburg qu'a décrit Tacite; c'est le bourbier coutumier dans lequel Varus s'est enfoncé», décrit Heinrich Heine avec humour. La chaîne de collines d'«Hohenzug» dans le «Lipperland», fut le théâtre de la «bataille d'Hermann» en l'an neuf après Jésus-Christ. C'est à cette époque que les Germains seraient tous devenus de vrais Allemands.

Zur Reichsgründung 1871 tauchte Hermanns Mythos wieder auf: So wie er Germanien begründet hatte, so einte Kaiser Wilhelm nun die Deutschen. Nicht von ungefähr steht an der Porta Westfalica sein Standbild unterm Baldachin. Die Externsteine im Teutoburger Wald sollen ein heidnisch-germanisches Kulturzentrum gewesen sein, ehe sie das Christentum in ihre Dienste nahm. Seit dem Mittelalter sind die über 30 Meter hohen Sandsteinfelsen mit christlichen Motiven geschmückt, vermutlich eine Andachtstätte für Vorüberreisende.

The founding of the Prussian Empire in the 19th century led to completely erroneous comparisons being drawn between Kaiser Wilhelm, who finally united Germany in 1871, and Hermann, leader of a few tribes who virtually quarrelled themselves into extinction. Huge monuments to the two heroes were erected in the Teutoburger Wald; Kaiser Wilhelm stands at the Porta Westfalica under a giant stone canopy, while Hermann stands exposed to all weathers not far from the Externsteine, that seem to have had a religious significance long before Christian times.

Le mythe d'Hermann réapparut avec la création de l'empire en 1871: l'empereur Guillaume allait de nouveau unifier tous les Allemands. C'est sans doute pourquoi sa statue se dresse sous un baldaquin près de la Porta Westfalica. A proximité, un curieux groupe de rochers dit «Externsteine», aurait été un centre de culture païenne avant de devenir un lieu de dévotion pour les voyageurs. Depuis le Moyen Age, des motifs chrétiens ornent les cinq roches, hautes de 30 à 38 mètres.

In Münster hängen immer noch am Turm von St. Lamberti die Käfige der Wiedertäufer. Als die Bischöflichen im 16. Jahrhundert ihre Macht gebrochen hatten, wurden ihre Anführer zu Tode gefoltert: die Leichen hängte man dann an den Turm, den Vögeln zum Fraß und den Bürgern zur Mahnung. Geistliches Zentrum wurde wieder der romanische Dom, der größte in Westfalen. Die Läden um den Prinzipalmarkt sind wie eh und je „fornen alle auff Pfeiler gesetzt, darunter man hingehet" – noch heute beliebt beim Flanieren.

Münster can trace its history back to 800 A. D. when, as its name indicates, a minster was founded here not far from the present cathedral. Behind the cathedral runs the ancient Prinzipalmarkt, whose arcaded shops make it a popular place for a stroll, and opposite the Prinzipalmarkt stands the church of St Lamberti. The church's most striking feature is the magnificent tracery of its windows. The tower exhibits a grisly reminder of a brutal age, for here hang the cages in which the leaders of a 16th century Protestant sect, the Anabaptists, were condemned to die.

Les trois cages des anabaptistes sont toujours suspendues à la tour de l'église Saint-Lamberti. Après que les anabaptistes eurent été vaincus en 1535, les trois chefs de la secte furent torturés à mort et leurs corps exposés sur la grande place afin de servir d'avertissement à la population. Le «Dom» de style roman, le plus grand de Westphalie, récupéra alors ses ouailles. Le «Prinzipalmarkt», longue place bordée d'arcades, est toujours comme autrefois un endroit de flânerie apprécié.

Wo keine Felsenspitze Sicherheit verleiht, umgibt man sich zum Schutz mit Wasser. Die Wasserschlösser in Westfalen sind berühmt und sehenswert. Das größte, wenn auch nicht das typischste, ist Nordkirchen. Als der französische Dichterphilosoph Voltaire mit spitzer Zunge teutonische Engstirnigkeit kritisieren wollte, da nahm er sich ein Schloß in Westfalen zum Muster. Er hat die Plettenberger nicht gekannt: Die bauten bald nach 1703 ihr altes Schloß zur schmucken Residenz aus, und seither heißt es wie zum Lohn „westfälisches Versailles".

Westphalia lacks the picturesque hilltop castles so beloved of the former lords of Germany. In the broad plains around Münster, moated defences were the next best thing. The largest of these famous moated castles is Nordkirchen, a majestic 18th century brick and sandstone palace whose waters seems more suited for ornamental than defensive purposes. Westphalians like to regard Nordkirchen as their own Versailles, but the French philosopher and writer Voltaire was less complimentary; he saw such buildings as typical of Teutonic narrow-mindedness.

On s'entourait de douves pour se protéger quand il n'y avait pas de pics rocheux. Les châteaux entourés d'eau de Westphalie sont célèbres. Le plus impressionnant, sinon le plus typique est celui de Nordkirchen. Voltaire prit l'exemple d'un château westphalien pour critiquer l'esprit borné des Teutons. Il n'a pas connu les Plettenberger qui après 1703, transformèrent leur vieux château en une magnifique résidence qu'on appelle aujourd'hui «le Versailles de Westphalie».

Als alte Reichs- und Hansestadt ist Dortmund kaum noch in Erinnerung. Die an Fläche drittgrößte Stadt in der Bundesrepublik ist heute „Hauptstadt" im Revier. Wie Essen und die anderen Städte im Ruhrgebiet ist Dortmund aber nicht nur eine Stadt der Zechen und der Hüttenwerke. Fast die halbe Fläche des gesamten Ruhrgebiets wird von der Landwirtschaft genutzt. Die Städte zwischen Hamm im Osten und dem Duisburger Hafen werden dabei mehr und mehr zu Einkaufszentren und zu Stätten der Geselligkeit.

On the map, the towns of the Ruhrgebiet, that sprawling industrial area between Duisburg and Hamm, merge into a giant and shapeless metropolis, and it is often forgotten that Dortmund, famous for football and beer, and Essen are among the oldest towns in Germany. Their imposing mediaeval churches are well worth a visit; Essen was even ruled over by the Abbess of the local convent till 1803. The coal, iron and steel works still exist, but the towns of the Ruhrgebiet are changing their character and promoting themselves as shopping and cultural centres.

Dortmund, ancienne ville impériale et hanséatique, est aujourd'hui la troisième ville d'Allemagne fédérale de par sa superficie et la capitale d'un district houiller en perte de vitesse. Mais Dortmund, n'est pas seulement une cité métallurgique et minière. Près de la moitié de la région vit de l'agriculture. Les villes entre Hamm à l'Est et le port fluvial de Duisburg prennent de plus en plus d'ampleur comme centres commerciaux et culturels. On peut y apprendre comment une région de hauts-fourneaux devint, au tournant du siècle, un creuset d'immigrants.

In Duisburg fließt die Ruhr in den Rhein – nahe beim Hafen. Der ist noch immer Ausdruck der Leistungsfähigkeit im Ruhrgebiet. Mit 20 Hafenbecken und 213 Hektar Wasserfläche ist Duisburg-Ruhrort der Binnenhafen mit dem größten Warenumschlag in Europa. Hier deutet nichts mehr darauf hin, daß Duisburg im 14. Jahrhundert als Fischersiedlung entstanden ist. Die Tradition des Hafens reicht zurück bis 1725. Seither ist Duisburg das Tor des Westens zu den Weltmeeren.

Even before the Industrial Revolution, Duisburg was a trading centre and a member of the Hanseatic League. Near Duisburg harbour, however, the river Ruhr flows into the Rhine, and it was the Ruhr which gave its name to a whole area of Germany devoted to mining and heavy industry. Coal soon made Duisburg into a port of crucial importance. Although the Ruhr region has suffered a decline, Duisburg, with its 20 harbour basins, is still Europe's largest and busiest inland port.

La Ruhr se jette dans le Rhin près de Duisbourg-Ruhrort, le principal port fluvial européen avec 20 Bassins portuaires et une surface d'eau de 213 hectares. Ce port dans lequel le plus gros tonnage de trafic en Europe est embarqué et débarqué annuellement, témoigne toujours de la capacité productive du bassin de la Ruhr. En activité depuis 1725, il a fait de Duisbourg la porte de l'Ouest sur les mers du monde. Par contre, on ne trouve plus aucune trace du village de pêcheurs que la ville était au 14ème siècle.

"Ad Sanctos" hieß die Stelle, wo die Märtyrer begraben waren. Der Volksmund machte daraus „Xanten". Die Stadt war freilich älter als ihr Name, zur Zeit der Römer hieß sie noch „Colonia Ulpia Traiana". Heute wird das römische Xanten nach und nach ergraben und im „Archäologischen Park" der Nachwelt dargestellt. Zwei der Heiligen, die dieser Stadt den Namen gaben, liegen tief im Viktordom begraben. Aus Xanten stammt schließlich auch Siegfried, der Held des „Nibelungenliedes", und gibt Rätsel auf. Denn „Victor" heißt „Sieger".

"Ad Sanctos" was the name of a place where martyrs were buried. In the vernacular this became "Xanten". But the town is a lot older than its present name. The Romans established an important settlement here which they called "Colonia Ulpia Traiana". Today more and more of the ancient Roman ruins are being excavated and presented to the public in the Archaeological Park. Two of the saints who gave Xanten its name lie buried in the Cathedral of St. Victor. Xanten was also the birthplace of Siegfried, the hero of the Song of the Nibelungs.

L'endroit où les martyrs étaient enterrés s'appelait «Ad Sanctos» qui devint Xanten dans la langue populaire. La ville est plus ancienne que son nom puisqu'elle se nommait «Colonia Ulpia Trajana» du temps des Romains. Aujourd'hui, la Xanten romaine est peu à peu extirpée de la terre et exposée dans le parc archéologique. Deux des saints martyrs reposent sous la cathédrale Saint-Victor dont le nom pourrait poser une énigme car Siegfried, le héros des «Nibelungen» serait né à Xanten.

Wie in Berlin die ersten Preußen, so bot in Krefeld Moritz von Oranien den religiös Verfolgten Zuflucht an. Es kamen protestantische Sektierer, die als Zwirner, Weber, Färber und Appretierer gute Arbeit anzubieten hatten. Als 1702 die Preußen die Regentschaft übernahmen, hatte Krefeld schnell den Ruf der „niedlichsten, saubersten, freundlichsten und blühendsten Manufakturstadt". Die bürgerlichen Tuchfabrikanten wurden groß und kauften sich in alten Adelssitzen ein. Einer von ihnen ließ sich um 1840 hier „Haus Greiffenhorst" errichten.

Krefeld, like Berlin, profited immensely from its policy of religious tolerance. Prince Maurice of Orange offered refuge to persecuted Protestants and, thanks to their skill and efficiency, the little community of farmers and linen weavers became the centre of the North German silk industry. When the Prussians took over in 1702, Krefeld was 'the prettiest, cleanest, friendliest and most flourishing manufacturing town of all'. Haus Greiffenhorst is a 19th century hunting lodge built by one of the town's leading silk manufacturers.

Maurice d'Oranie offrit un asile aux victimes des persécutions religieuses à Krefeld. Des protestants vinrent y travailler comme moulineurs, teinturiers, apprêteurs et drapiers. Krefeld était devenue une ville de manufactures prospère quand les Prussiens en prirent la régence en 1702. Les fabricants de drap qui avaient bâti de grosses fortunes, acquièrent des demeures nobles. L'un d'eux fit construire en 1840 le château de «Greiffenhorst».

Die Hochburg der deutschen Textilindustrie liegt von Krefeld ein paar Kilometer südlich. „Industria" heißt „Fleiß", und mit Fleiß gelangten die Leineweber von Mönchengladbach zu Renomée und Wohlstand. Den Namen aber gaben Klosterbrüder der Gemeinde, Mönche des Benediktinerordens auf dem innerstädtischen Abteiberg. Beides findet sich vereinigt auf der Amtskette des Oberbürgermeisters, die in Initialen eine Geschichte der Stadt in Kurzform bietet: „A Monachis Ad Industriam: Von den Mönchen zur Industrie.

The centre of the German textile industry, Mönchengladbach lies only a few kilometres south-west of Krefeld. Through their diligence and skill the city's linen weavers acquired fame and prosperity. The town is named after the Benedictine monks whose monastery once stood on Abbey Hill, today part of the city centre. The motto of Mönchengladbach is "A monachis ad industriam" – "from the monks to industry" – and emblems symbolizing both the monks and the linen weavers can be found on the chain of office worn by the Lord Mayor.

Le fief de l'industrie textile allemande est situé à quelques kilomètres au sud de Krefeld. Les tisserands industrieux de Mönchengladbach apportèrent la renommée et la prospérité à la ville qui par contre doit son nom aux moines de l'ancienne abbaye bénédictine. L'histoire de la localité est inscrite en initiales sur la chaîne d'or du bourgmestre: «A Monachis Ad Industriam»: des moines à l'industrie.

Was am Niederrhein und was im Ruhrgebiet geschaffen wird, muß verkauft und muß verwaltet werden. So gelangte Düsseldorf an seinen Ruf, der „Schreibtisch des Ruhrgebiets" zu sein. Nicht Fertigungshallen, sondern Glaspaläste dominieren im Bild dieser Stadt, die schon im 13. Jahrhundert kein Dorf mehr an der Düssel war. Die Hauptstadt des volkreichsten Landes der Bundesrepublik ist zugleich auch das Tor zum Bergischen Land, das weniger so heißt, weil es gebirgig ist, als deshalb, weil es untertänig war den Grafen zu Berg.

Düsseldorf is the capital of North Rhine-Westphalia, the Federal Republic of Germany's most populous state. There is little industry here and Düsseldorf's role as a major banking, marketing and administrative centre has earned it the nickname "the writing-desk of the Ruhr District". High-rise office blocks dominate the skyline. This city on the River Düssel was granted its town charter in the 13th century. It lies on the edge of a hilly region known as the "Bergisches Land" which once belonged to the Counts of Berg.

Ce qui est produit dans le Bas-Rhin et dans le bassin de la Ruhr, doit être vendu et géré quelque part. C'est ainsi que Düsseldorf a acquis la réputation d'être le «bureau» de la Ruhr. Des palais de verre et non pas des usines forment la physionomie de la ville qui était déjà une grosse bourgade sur la Düssel au 13ème siècle. La capitale du «Land» Rhénanie du Nord-Westphalie est aussi la porte d'entrée du «Bergischen Land», une magnifique région boisée qui doit son nom aux comtes de Berg.

Deren populärster thront auf hohem Roß inmitten der Altstadt: Kurfürst Johann Wilhelm von der Pfalz, in Düsseldorf bekannt nur als „Jan Wellem". Den Anspruch auf höfische Rokoko-Pracht vermittelt heute noch das Schloß von Benrath im Süden der Stadt. Älter – und vielleicht auch eindrucksvoller – sind die Reste der um 1180 neuerbauten Kaiserpfalz von Barbarossa im nahen Kaiserswerth. Wer mit dem Flugzeug anreist und wer aufpaßt, sieht sie vielleicht aus der Luft: Gleich nebenan liegt Lohausen, der Flughafen der Stadt.

At the end of the 18th century, Düsseldorf was briefly occupied by the French. Napoleon imported a certain French flair to the town, best seen in his legacy of the Königsallee with its exclusive shops, and in the attractive Hofgarten park. The tradition continues – even the office blocks are elegant in Düsseldorf. Renowned as a business centre, the city also has magnificent museums and art galleries. Its greatest attraction is, however, undoubtedly the Altstadt, a part of Düsseldorf devoted almost entirely to the business of eating and drinking.

Le plus populaire d'entre eux trône fièrement sur un cheval au milieu du quartier de la Vieille Ville: le prince-électeur Jean-Guillaume, appelé familièrement «Jan Wellem». Le château de Benrath situé au sud de la ville, rappelle encore aujourd'hui la splendeur de l'époque baroque. Plus anciennes et plus impressionnantes, sont les ruines du palais impérial de Barberousse, construit vers 1180 dans la localité voisine de Kaiserswerth.

Düsseldorf liegt rechts des Rheins, ihr gleich gegenüber liegt Neuss; die eine Stadt ist berühmt für ihre Büros, die andere für ihr Sauerkraut; die eine feiert Karneval, die andere ihr Schützenfest, und das seit beinahe zweihundert Jahren. Überhaupt hat der kleinere Nachbar auf dem linken Ufer die weitaus ältere Tradition. 1984 konnte man hier schon den 2000. Geburtstag feiern. Wie Xanten wurde Neuss als römischer Stützpunkt gegründet, und auch hier gibt es eine Kirche über frühen Gräbern: St. Quirin, weit älter als die Kuppel des Barock.

Düsseldorf lies on the right bank of the Rhine. On the opposite side stands the city of Neuss. There are many contrasts between the two towns. One is famous for its office-blocks, the other for its sauerkraut. The inhabitants of Düsseldorf celebrate carnival while the people of Neuss have enjoyed their "Schützenfest" – a fair featuring shooting matches – for almost 200 years. Like Xanten, Neuss was founded by the Romans as a military base and here, too, a church was built on top of former graves: St. Quirin. The baroque dome is a much later addition.

Düsseldorf est située à droite du Rhin. Neuss s'étend juste en face. Une ville est réputée pour ses consortiums, l'autre pour sa choucroute. L'une fête le carnaval, l'autre ses anciennes corporations de tir. Neuss est d'ailleurs bien plus âgée que Düsseldorf: en 1984, elle a célèbré son 2000ème anniversaire. Tout comme Xanten, elle était une base romaine et possède aussi une église construite sur des tombes anciennes: la «Quirinuskirche» de style gothique primitif.

In dem engen Tal der Wupper war in der Mitte des vorigen Jahrhunderts die größte industrielle Ballung des Deutschen Reiches entstanden. Die Wohnhäuser hockten längst eins auf dem Rücken des anderen. Bis dahin hatte die Wupper ihr Wasser zum Trinken, als Energiequelle und für die Chemie gegeben. Nun gab sie ihr Letztes und Bestes – ihr Bett. Sie gab es als Stütze und Weg der Schwebebahn und linderte so die Verkehrsnot der Städte Barmen und Elberfeld.

In the middle of the last century the biggest industrial conurbation in the German Empire developed in the narrow valley of the River Wupper. Houses were built all the way up the sides of the valley. Before then the River Wupper had provided water for drinking and as a source of energy. With the coming of the industrial revolution its bed was used as a base for the pillars of the suspension railway which was built to ease traffic congestion in the towns of Barmen and Elberfeld. Although it is over 80 years old, the suspension railway is still in operation even today.

C'est dans l'étroite vallée de la Wupper que s'est développée, au milieu du siècle dernier, la plus grande zone industrielle du Reich allemand. La Wupper avait déjà donné son eau à la ville pour alimenter la population et les industries chimiques. Elle finit par leur donner ce qu'elle avait de plus cher: son lit. C'est dans la Wupper en effet que se dressent les piliers soutenant le métro aérien, un système de transport qui a atténué les problèmes de circulation des villes de Barmen et d'Elberfeld.

Düsseldorf ist Landeshauptstadt, die rheinische Hauptstadt ist immer noch Köln, das „heilige Köln", wie es im Mittelalter hieß. Aus dem römischen Colonia war im Laufe der Jahrhunderte die mächtigste Stadt nördlich der Alpen geworden. Rainald von Dassel hatte 1164 die Gebeine der Heiligen Drei Könige aus Mailand in die Stadt geholt, und für sie baute man ab 1248 einen gotischen Dom, der noch bei seiner Fertigstellung 1880 – nach Jahrhunderten der Pause – das höchste Bauwerk der Erde war.

Düsseldorf might be the state capital but Cologne is still the capital of the Rhineland. Founded by the Romans and known in the Middle Ages as "holy Cologne", down the centuries it developed into the most powerful city north of the Alps. In 1164 Rainald von Dassel brought the relics of the Magi to Cologne from Milan. In order to provide them with a fitting resting-place, in 1248 work began on the construction of a Gothic cathedral. When the cathedral was completed in 1880 – after a break of several centuries – it was the tallest building in the world.

Düsseldorf est la capitale du «Land» Rhénanie du Nord-Westphalie, mais la plus grande ville rhénane demeure Cologne, la «Sainte Cologne», comme on l'appelait au Moyen Age. Au cours des siècles, la Colonia romaine était devenue la ville la plus puissante au nord des Alpes. En 1164, Rainald von Dassel transféra, de Milan à Cologne, les reliques des Rois mages qui motivèrent la construction d'un dôme gotique. La cathédrale commencée en 1248, fut terminée en 1880, après des siècles d'arrêt des travaux. A cette époqe, elle était le plus haut édifice du monde entier.

Köln war seit dem Mittelalter eine Stadt für Bürger. Kurfürstliche Prachtentfaltung fand nur außerhalb der Mauern statt, in Bonn und rund um den wildreichen Kottenforst. Im nahen Brühl und anderswo ließ der Kurfürst Clemens August in den Jahrzehnten seiner Herrschaft prächtige Schlösser errichten und holte sich dazu die größten Architekten heran. So aus Würzburg den Barockbaumeister Balthasar Neumann. Das Brühler Schloß Augustusburg ist auch heute bundesweit bekannt, denn die Bonner Regierung nutzt das Schloß für Staatsempfänge.

Ever since the Middle Ages Cologne had differed from other cities in that the splendid palaces of its electors were built outside its walls: in Bonn and around the Kottenforst Forest. In nearby Brühl and in other places the 18th century elector Clemens August had some magnificent palaces designed by great architects of the day. He summoned the celebrated baroque architect Balthasar Neumann from Würzburg, for example. Today Augustusburg Palace in Brühl is famous throughout Germany as the place where the Bonn government holds its state receptions.

Cologne a été une ville de bourgeois dès le Moyen Age. La vie sompueuse des princes se déroulait en dehors de ses murs, ainsi, le prince électeur Clemens August (1723 – 1761), fit ériger de magnifiques châteaux à Brühl et dans les environs, en faisant appel à des architectes célèbres tel Balthasar Neumann, grand bâtisseur de l'art baroque de la ville de Würzburg. Son escalier majestueux du château Augustusburg de Brühl est connu mondialement car le gouvernement de Bonn utilise ce château pour ses réceptions officielles.

Aachen liegt am Rand der Bundesrepublik, im „Dreiländereck". Um das Jahr 800 aber war es Mittelpunkt des großen Frankenreiches, von hier aus wurde Europa beherrscht. Karl der Große, Charlemagne, wie ihn die Franzosen nennen, die sich auch auf ihn berufen, ließ hier eine Pfalzkapelle errichten, Kernstück des berühmten Kaiserdoms. Sie wird überhöht von der ältesten Kuppel nördlich der Alpen. Der Baumeister verteilte das große Gewicht auf acht Pfeiler. In diesem „Oktogon" steht heute noch der schlichte Thron des Kaisers.

Aachen lies in the far west of the Federal Republic of Germany, on the border with Belgium and Holland. Around 800 it lay at the centre of the great Frankish Empire which covered most of Europe. The favourite residence of the Frankish emperor, Charlemagne, was at Aachen and it was here that he built a palatine chapel which forms the core of the celebrated imperial cathedral. The dome is the oldest north of the Alps and rests on eight pillars. The simple throne used by Charlemagne still stands at the centre of this octagon.

Aix-La-Chapelle est située à la frontière de l'Allemagne fédérale, dans ce qu'on appelle le «triangle de trois pays». En l'an 800, la ville était le centre du grand royaume des Francs et la résidence de l'empereur Charlemagne, maître de l'Europe. Il y fit construire une chapelle impériale, partie centrale du célèbre Dom. Cette chapelle est surmontée de la plus ancienne rotonde au nord des Alpes. Aujourd'hui encore, on peut admirer le trône de Charlemagne dans l'église octogonale.

Die 2000jährige Bonner Stadtgeschichte begann mit einem römischen Kastell. Die Legionäre Cassius und Florentinus starben hier den Märtyrertod. Heute sind sie die Stadtpatrone Bonns. Über ihren Gräbern erhebt sich die Münsterbasilika. Die Universität und das Rathaus sind Zeugen barocker Pracht. In der Zeit des demokratischen Aufbruchs in Deutschland wehte erstmals 1848 auf der Rathaustreppe die schwarz-rot-goldene Fahne. Musischen Ruhm verleiht Bonn indes Ludwig van Beethoven. Sein Geburtshaus erinnert an den großen Komponist.

The 2000 year old history of Bonn started with a Roman castle. The legionary Cassius and Florentinus died here as martyrs and today are the patrons of Bonn. Towering over the graves is the so called „Münsterbasilika". The university and town hall are witnesses of baroque splendor. The black, red and golden banner was raised for the very first time at the steps of the town hall in 1848 during the German democratic revolution. Bonn is also famous for being the birthplace of the great composer Ludwig van Beethoven. His home is a remembrance of this great musician.

L'histoire vieille de 2000 ans de Bonn a commencé avec un camp romain. Les légionnaires Cassius et Florentinus sont aujourd'hui les patrons de la ville et sur leurs tombes s'élève l'admirable église romane, le Münster. L'université et l'hôtel de ville datent de l'époque baroque. Durant l'éveil démocratique en Allemagne, le drapeau aux trois couleurs noir rouge jaune fut pour la première fois déployé en 1848 sur l'escalier de l'hôtel de ville. La capitale allemande se glorifie aussi d'avoir vu naître Ludwig van Beethoven. La maison natale du musicien est aujourd'hui un musée.

Die Bundesrepublik Deutschland wurde 1949 gegründet. Alle größeren Städte waren damals noch vom Krieg her verwüstet. Es war nicht einfach, für die Regierung eines Sechzig-Millionen-Volkes eine passende Unterkunft zu finden. Die Wahl fiel auf Bonn. Die kleine Universitäts- und Pensionärs-Stadt war unzerstört und lag nicht nur zentral, sondern auch gegenüber dem Wohnsitz des ersten Bundeskanzlers Konrad Adenauer. Die neu entstehenden Regierungsbehörden richteten sich hier zunächst provisorisch ein.

The Federal Republic of Germany was founded in 1949. At that time the country's major cities still lay in ruins from the wartime bombing raids and it was no easy task to find a suitable seat for the government of a nation of 60 million people. In the end the choice fell on Bonn, a small university town which had remained unscathed. It was centrally located and the first Federal Chancellor, Konrad Adenauer, lived not far away. In the initial period the various government departments were all found provisional homes.

La République Fédérale d'Allemagne a été fondée en 1949. Après les bombardements de la guerre, toutes les grandes villes n'étaient plus que décombres. Quelle cité plus ou moins intacte pouvait abriter le futur gouvernement? Le choix se porta sur Bonn, une petite ville universitaire qui se trouvait non seulement au cœur de l'Allemagne mais également en face du lieu de résidence du premier chancelier fédéral, Konrad Adenauer. C'est donc à Bonn que les autorités et services gouvernementaux s'installèrent provisoirement.

In die barocken Paläste, das Poppelsdorfer „Clemensruhe" und das Kurfürstliche Schloß am Hofgarten, ist nicht die Politik eingekehrt, sondern die Gelehrsamkeit: Beide beherbergen die Rheinische Freidrich-Wilhelm-Universität. Das politische Bonn ist weiter südlich entstanden, nach Godesberg hin, zwischen Rhein und „Diplomatenrennbahn", wie die Bundesstraße 9 in Bonn heißt, mit einem eigenen Regierungsviertel unten am Fluß, ein Quadratkilometer alles in allem, aber randvoll mit den Zentren politischer Macht, rings umgeben von den Sitzen der Lobby.

The two ancient palaces in Bonn, the Clemensruhe Palace in Poppelsdorf and the Electoral Palace by the Court Gardens, have nothing to do with politics. They are places of learning for both belong to the Friedrich Wilhelm University. Bonn's political quarter is located in the south of the city, towards the suburb of Godesberg. It lies between the Rhine and a wide main road known rather irreverently as the "diplomats' racetrack". The government district covers no more than one square kilometre but it is the nerve centre of political power.

Le savoir et non pas la politique a élu domicile dans deux palais baroques, le château de Poppelsdorf appelé «Clemensruhe ou le repos de Clemens» et dans l'ancien château des princes-électeurs de Cologne qui s'ouvre sur le Hofgarten: tous les deux abritent l'université rhénane Friedrich-Wilhelm. Le district de la politique se trouve plus au Sud, vers Godesberg, sur environ un kilomètre carré entre le Rhin et le «circuit des diplomates» ainsi qu'on nomme la Nationale 9 à Bonn.

Vor den Gasthäusern im südlichen Bad Godesberg warnte 1828 schon Johanna Schopenhauer ihre Tochter: Da kämen alle Tage Narren an, die um drei Uhr in der Nacht das Haus aufweckten, um den Sonnenaufgang auf dem Drachenfels zu sehen. Sie konnte es nicht fassen: „Was das für ein sündliches Treiben ist um die verfluchte Natur." In Godesberg beginnt – oder endet, je nachdem – der Mittelrhein, seit dem neunzehnten Jahrhundert Wallfahrtsstätte für romantische Rhein- und Weinseligkeit.

In 1828 Johanna Schopenhauer warned her daughter about the inns in Bad Godesberg, then a small town to the south of Bonn. "Every day", she told her, "fools arrive and wake up everyone at three in the morning because they want to see the sunrise from the Drachenfels rock. What sinful behaviour", she exclaimed, "all because of cursed Nature!" It is in Bad Godesberg that the Middle Rhine begins – or ends, depending on whether you are travelling up or down river. Since the 19th century the river has been a popular attraction for lovers of romanticism and wine.

En 1828 déjà, Johanna Schopenhauer avertissait sa fille du danger des auberges de Bad Godesberg: elles sont fréquentées par des bouffons qui réveillent les gens à trois heures du matin quand ils vont voir le lever du soleil sur le Drachenfels. Elle en était incrédule: «Quel penchant dépravé pour cette maudite nature!» C'est à Godesberg que le Rhin moyen commence ou s'achève, selon les opinions. Depuis le 19ème siècle, la ville est un lieu de pélerinage pour ceux qui aiment l'atmosphère romantique du fleuve et les bons vins.

Am Rhein liegt auch das politische Bonn, das Botschaftsviertel Plittersdorf und Bad Godesberg daneben. Hier siedelten sich um die Kaiserzeit wohlhabende Leute an. Nach dem zweiten Weltkrieg wurde Bonn zur provisorischen Bundeshauptstadt. Fortan ließen sich hier Politiker und Diplomaten aus aller Welt nieder und gaben der Stadt ein neues Gesicht. 1950 kaufte die Bundesregierung das Haus des verstorbenen Kommerzienrats Hammerschmidt. Heute dient die Villa als Amtsitz des Bundespräsidenten.

The political quarter of Bonn lies along the Rhine, not far from the embassies in Plittersdorf and Bad Godesberg. In Imperial times it was prosperous Rhinelanders who settled here; after the Second World War Bonn became the capital and was given a new face by the influx of politicians and diplomats from all over the world. In 1950 a distinguished businessman named Hammerschmidt died and the government purchased his house; it is now the residence of the President of the Federal Republic.

Les quartiers politiques et des ambassades de Bonn – Plittersdorf et Bad Godesberg – sont également situés sur le Rhin. Après la seconde guerre mondiale, Bonn devint la capitale provisoire de la République fédérale et ainsi, le domicile de politiciens et de diplomates du monde entier ce qui donna une nouvelle physionomie à la ville. En 1950, le gouvernement achetait la maison du défunt conseiller de commerce Hammerschmidt. La villa est aujourd'hui la résidence officielle du président de la République.

Natürlich hat der Drachenfels nie einen Drachen gesehen; hier wurden seit der Römerzeit die „Drakensteine" gebrochen, Trachyt, mit dem auch der Kölner Dom errichtet wurde. Und das Siebengebirge hat auch nicht sieben Berge, sondern um die vierzig, und trägt seinen Namen nach den „Siefen", den kleinen Wasserläufen, denen man hier überall begegnet. Seiner Wirkung aber tut das keinen Abbruch, der Drachenfels ist der meistbesuchte Berg in Deutschland, und beim Aufstieg findet man auf halber Höhe Schloß Drachenburg.

The Drachenfels rock takes its name from the trachyte stone that has been quarried here since Roman times and was used, amongst other things, in the construction of Cologne Cathedral. The Siebengebirge range nearby is comprised of some 40 hills. It is named after the numerous brooks or "Siefen" that tumble their way down the slopes. The Drachenfels is a popular place for excursions. In fact, it attracts more visitors every year than any other mountain in Germany. Half-way up stands the castle known as the Drachenburg.

Déjà au temps des Romains, on extrayait du Drachenfels la trachyte, une pierre qui a servi à la construction du Dom de Cologne. Les Sept-Montagnes ou Siebengebirge ne sont pas sept mais quarante environ et doivent leur nom aux «Siefen», ces petits torrents qui y coulent partout. Cette confusion des noms n'enlève rien pourtant à la beauté du paysage. Le Drachenfels est la montagne la plus visitée d'Allemagne et décorée à mi-hauteur d'un château dit Drachenburg qu'un industriel, féru de romantisme, se fit construire à la fin du siècle dernier.

Westlich des Rheins, zwischen Mosel und Ahr, liegt die Eifel, ein Mittelgebirge mit vulkanischer Vergangenheit, die heute noch in Maaren, Tuff und Mineralwasser zutage tritt. Das kleine Ahrtal birgt das größte geschlossene Rotweinanbaugebiet der Bundesrepublik; hier sprudeln auch die Quellen, aus denen seit mehr als hundert Jahren die Welt trinkt, wie es die Werbung sagt. Seit 1858 ist das mondäne Bad Neuenahr Kurort, hier suchten die gekrönten Häupter von einst ihre Ruhe und Gesundheit – und Zerstreuung im Casino.

To the west of the Rhine, between the Moselle and Ahr rivers, lies a hilly, former volcanic region known as the Eifel. Today its many springs are a valuable source of mineral water. The small valley of the Ahr contains the biggest single area in the Federal Republic of Germany for growing red wine, and according to the advertisements, the mineral water from its numerous springs has been in great demand for more than 100 years. In 1858 the charming town of Neuenahr became a spa and at one time the crowned heads of Europe came here to rest and recuperate.

A l'Ouest du Rhin, entre la Moselle et l'Ahr, s'étend l'Eifel, une région de montagnes moyennes dont on retrouve le passé volcanique dans le tuf, les abîmes circulaires appelés « Maare » et les sources d'eaux minérales. La vallée de l'Ahr renferme la plus grande région de vin rouge en Allemagne fédérale. Depuis 1858, Neuenahr est une station thermale à la mode. Les têtes couronnées venaient autrefois y chercher le repos, la santé et les plaisirs dans le Casino. Karl Marx y vint aussi en cure.

Die Eifelluft ist besser als der Himmel über Bonn. Deshalb ließ das Bonner Max-Planck-Institut fernab bei Effelsberg ein Radioteleskop errichten, das größte bewegliche Gerät dieser Art auf der Welt. Mit dem runden, hundert Meter großen Spiegel lauscht die moderne Radioastronomie bis ans Ende der Galaxis. In neun Minuten hat das weiße Wunderding sich einmal voll im Kreis gedreht, und über einen Zahnkranz kann die riesenhafte Schüssel um zwanzig Winkelgrade pro Minute gekippt werden.

In the high plateau of the Eifel between the Rhine and the Belgian border it is no small surprise to come across the largest movable radio telescope in the world, an awesome and breathtaking sight in its remote wooded valley. The Max Planck Institute in Bonn erected this gigantic telescope, whose bowl is 100 metres in diameter, at Effelsberg, near Bad Münstereifel. In the southern Eifel there is a group of volcanic lakes known as the Maare, remarkable in that they were created not by outpourings of lava, but by gigantic explosions of subterranean gas.

Le ciel de l'Eifel est plus clair que celui de Bonn. C'est pour cette raison que l'Institut Max-Planck de Bonn installa près d'Effelsberg le plus grand appareil de radiotélescopie du monde. La radioastronomie moderne explore les fins fonds de la galaxie à l'aide d'un miroir de cent mètres de diamètre. La merveille blanche tourne sur elle-même en neuf minutes et la coupole géante penche à un angle de vingt degrés par minute sur une couronne dentée.

Wo die Eifel endet, liegt Trier, das römische Augusta Treverorum, seit Cäsar hier die Kelten unterworfen hatte. Die strategische Bedeutung der Stadt an der Moselfurt wuchs ins Immense, als hier im Jahre 17 vor Christi Geburt der erste Brückenschlag über die Mosel gelang. Trier wurde zum mächtigen Handelsplatz und ist es über die Jahrhunderte geblieben. Die Steipe, das alte Festhaus der Trierer Bürgerschaft erinnert daran ebenso wie der gewaltige Dom, dessen Entstehungsgeschichte bis in die Jahre der Völkerwanderung zurückreicht.

Trier, the oldest town in Germany, was founded by the Roman Emperor Augustus. It fast became the largest town north of the Alps, strategically important because of the first bridge across the Moselle built here in 17 B. C. Mediaeval Trier was smaller, but remained an important administrative and trading centre. In spite of wars and invasions, much of Roman Trier has been preserved. Quite apart from the fascinating museum collections, it is difficult to walk around the town without stumbling upon what are undoubtedly the most impressive Roman remains in Germany.

Trèves, «Augusta Treveronum», après la victoire de César sur les Celtes, est située à la frontière de l'Eifel. La signification stratégique de la ville prit des dimensions immenses quand la Moselle fut franchie pour la première fois en l'an 17 avant Jésus-Christ. Trèves devint une place de commerce importante et l'est restée jusqu'à aujourd'hui. La «Steipe», ancien hall des fêtes des citoyens de la ville et l'imposante cathédrale rappellent la gloire de la cité.

Geschichtliche Brückenschläge sind in Trier immer möglich: An die römische Basilika schließt sich im Rokoko-Stil der Kurfürstliche Palais an, das mittelalterliche Stiftsgebäude des Einsiedlers Simeon lehnt sich an das schwarze Stadttor an, das auch so heißt: Porta Nigra, eine der stattlichsten Pforten des römischen Imperiums; und die Verlängerung der alten Römerbrücke heißt heute Karl-Marx-Straße, denn nur ein paar Meter weiter, in der Brückenstraße 10, wurde Karl Marx 1818 geboren. Heute ist das Haus Museum.

Any self-respecting Roman community had its baths, but those in Trier were vast and later became incorporated into the town walls. Other interesting sites include the giant amphitheatre, the Roman core of the cathedral and the Protestant church, founded on an enormous basilica that the Emperor Constantine once used as a palace. Trier's most magnificent monument is the Porta Nigra. From later times, there are good examples of Gothic and Baroque architecture, and the birthplace of Karl Marx in Brückenstrasse is now a museum.

Les périodes de l'histoire se rejoignent à Trèves: le palais électoral de style rococo s'appuie contre la Basilique romaine, le cloître Saint-Siméon jouxte la Porta Nigra ou Porte noire, un des monuments les plus importants de l'Empire romain. La prolongation du vieux pont romain s'appelle aujourd'hui la rue Karl-Marx car c'est quelques mètres plus loin, au 10 de la rue Brücken qu'est né le philosophe révolutionnaire. Sa maison est aujourd'hui un musée.

Oberhalb Triers fließt die Saar in die Mosel, flußabwärts kommt die Ruwer dazu; in den Tälern aller drei Flüsse wächst berühmter Wein, der bekannteste ist der Moselwein, die Hänge sind ab und zu gekrönt von romantischen Gipfelburgen. Moselwein wurde neben dem „Kölsch" in Köln schon immer gern getrunken, ja, im mittelalterlichen Annolied heißt es gar, der Römerkanal habe einst den Wein von Trier nach Köln gebracht. Daß die Römer so viel Aufwand für das Leitungswasser trieben, konnte damals keiner glauben.

The Moselle and its two tributaries, the Saar and the Ruwer, are famous for the green bottles that contain light and delicious wines appreciated as far back as Roman times. A appealing mediaeval legend tells that the Roman aqueduct from Trier to Cologne was actually built to transport wine, not drinking water. It is well worth exploring the picturesque villages and towns that huddle between the Moselle and the steep, back-breaking slopes of the vineyards. Often, a romantic castle tops the hillsides, while boats and barges throng the river below.

La Sarre coule dans la Moselle au-dessus de Trèves. La Ruwer vient les rejoindre en aval. Le célèbre vin de Moselle pousse dans la vallée des trois cours d'eau, à flanc de collines d'ardoise couronnées çà et là de châteaux romantiques. Le vin de Moselle a de tous temps été aussi populaire à Cologne que la «Kölsch», bière à haute fermentation. On a même cru autrefois que le canal romain venant de l'Eifel servait à acheminer le vin et non pas l'eau de Trèves à Cologne!

Die Burgen Eltz und Bürresheim sind zwei besonders schöne Beispiele für den Burgenbau in der Eifel. Beide Häuser sind nie wirklich zerstört worden. In Bürresheim umringen die Mauern das Fachwerk im Innern. Was der steile Hügel im engen Tal der Eltz an Raum nicht gewährte, das suchten die Erbauer in der Höhe. So einheitlich und doch auch vielgestaltig wie von außen ist die Burg auch als Stätte zum Wohnen: Seit 1157 ist Burg Eltz im Besitz der Familie des gleichen Namens, mehrere ihrer Linien wohnen heute in der Burg zusammen.

The castles at Eltz and Bürresheim are two particularly splendid examples of castle architecture in the Eifel region. Both have remained almost completely intact. Bürresheim castle is famous for its half-timbering. The steep hill in the narrow valley of the Eltz offered only a limited area for building on, so the architects designed a particularly high castle. Since 1157 Eltz Castle has been in the possession of one family of the same name, several lines of which inhabit the castle together even today.

Eltz et Bürresheim qui n'ont jamais vraiment subi de dommages, sont deux très beaux exemples de construction de châteaux dans le Sud de l'Eifel. A Bürresheim, les murs trapus entourent la charpente intérieure à colombage. Le château d'Eltz se dresse en hauteur, sur une colline raide de l'étroite vallée de l'Eltz. L'intérieur en est aussi particulier que ses façades: le château est la propriété de la famille du même nom depuis 1157. Et celle-ci y habite encore.

„Man steigt waldein, wandert unter herrlichen Buchen und Eichen immer bergab und hat bald den See Laach unter sich, der tief als ein schauerlich dunkler Waldkessel da liegt und an dem andern offeneren Ende das Kloster zeigt", so notierte es sich 1844 Ernst Moritz Arndt. Das Kloster „S. Maria ad lacum" ist eines der schönsten romanischen Baudenkmäler in Deutschland. Im Jahre 1500 schrieb Johannes Butzbach in seiner „Chronica eines fahrenden Schülers": „Wer wäre jemals imstande, würdig zu beschreiben jene bauprächtige Kirche..."

In 1844 Ernst Moritz Arndt wrote: "You enter the forest, walk steadily downhill beneath magnificent beech and oak trees and soon you look down on Lake Laach, a deep, dark and forbidding expanse of water. At the open end of the lake stands the monastery." The "S. Maria ad lacum" monastery is one of the finest architectural monuments in Germany. As Johannes Butzbach asked in 1500: "Who could find words worthy enough to describe that splendid church?"

L'abbaye «S. Maria ad lacum», près du lac de Laach, est une des plus belles constructions romanes d'Allemagne. Déjà en 1500, Johannes Butzbach écrivait dans sa «Chronique d'un écolier errant»: «Qui trouvera jamais des nots assez dignes de décrire cette église somptueuse avec son choeur, son abside double, ses piliers, ses autels et ses voûtes...»

Hier fließt die Mosel in den Rhein; hier hatten schon die Römer ein Kastell, und weil es am Zusammenfluß der beiden Flüsse sich erstreckte, nannten sie es „Confluentes": Koblenz. Die Lage sicherte der Stadt ihre Bedeutung, der Trierer Kurfürst, Clemens Wenzeslaus von Sachsen, verlegte seine Residenz sogar an den Rhein, in den neuerbauten Kurfürstlichen Palais (1778 bis 1787). Gegenüber lag seit dem 11. Jahrhundert die Feste Ehrenbreitstein, immer wieder ausgebaut und von den Preußen nach 1815 aufgebaut zur

The menacing 11th century fortress of Ehrenbreitstein looks down upon the 'Deutsche Eck', the confluence of Rhine and Moselle. The Romans built a fort here, the 'Confluentes', from which the modern name of Koblenz derives. In 1897, a large stone statue of Kaiser Wilhelm I was erected on this site, but it was destroyed, and only the base can still be seen standing rather inconclusively above the two rivers. The arched Moselle bridge, like many of the buildings in Koblenz, is a stately inheritance of the Middle Ages.

C'est là que la Moselle coule dans le Rhin. Les Romains y avaient déjà un fort qu'ils appelaient «Confluentes» car il s'étendait à la jonction des deux cours d'eau. Ce fort devint Coblence qui prit de l'ampleur grâce à son emplacement. Le prince-électeur de Trèves, Clemens Wenceslas von Sachsen, établit même sa résidence sur le Rhin, dans le «Kurfürstliches Schloss» ou château électoral, construit de 1778 à 1787 par deux architectes français: Michel d'Ixnard et Antoine François Peyre.

„Wacht am Rhein". Von hier aus hat man heute wie zur Kaiserzeit den Blick aufs "Deutsche Eck", das alte Denkmal Kaiser Wilhelms an der Moselmündung. Hier hatte bei der Kirche von St. Kastor das Deutschherrenhaus gestanden; beim Denkmalsbau im Jahre 1897 war der stolze Name gerade recht. Die militärische Vergangenheit, die mit den Römern hier begann, hat Koblenz nie ganz losgelassen: Heute ist es Garnisonstadt, rund jeder Fünfte in der kleinen Großstadt hat heute mit der Bundeswehr zu tun.

The clifftop fortress of Ehrenbreitstein was often extended, never conquered. The French blew it up in 1801, but the Prussians soon ended the French occupation and set about building their own improved version of this intimidating stronghold. Today Ehrenbreitstein enjoys a more peaceful existence as a museum and youth hostel, but the military tradition that started with the Romans continues, for Koblenz itself is a garrison town and one in five of its inhabitants is involved in some way with the West German Armed Forces.

La forteresse d'Ehrenbreitstein se dresse juste en face depuis le IIème siècle. Elle n'a jamais cessé d'être reconstruite et les Prussiens l'ont rebâtie en «poste de guet» sur le Rhin après 1815. De sa plate-forme, on peut voir à l'embouchure de la Moselle le vieux monument de l'empereur Guillaume, qui a été érigé en 1897. Coblence, résidence militaire au temps de Romains, l'est toujours aujourd'hui: I/5ème de sa population travaille pour l'armée.

1870 hat Bismarck gezeigt, wie man die Menschen beherrscht, wenn man die Sprache beherrscht. Er kürzte ein Telegramm über das Gespräch seines Königs mit dem Botschafter von Frankreich im Kurort Bad Ems so zusammen, daß die Botschaft schärfer wurde, und gab dann diesen Text, der keine Fälschung war, öffentlich weiter. Frankreich fühlte sich durch diese „Emser Depesche" derart provoziert, daß es Deutschland den Krieg erklärte. Der war zwar schon in beiden Lagern lange vorbereitet worden, begonnen aber hatte ihn Napoleon III.

In 1870, Germany and France were likened to two locomotives hurtling towards each other along a single track. A mixture of German ambition and French jealousy had brought them to the brink of war. The King of Prussia met the French Ambassador at the little spa of Bad Ems and sent his chancellor Bismarck a telegram explaining that the crisis had been averted. Bismarck, plunged into gloom at the thought of peace, altered the Ems telegram to make the French seem like aggressors, then handed it to the Press. The next day saw the beginning of the Franco-Prussian war.

En 1870, Bismarck altéra dans un télégramme, le contenu de la discussion qui avait eu lieu à Bad Ems entre son roi et l'ambassadeur français. Cette version du texte, très déplaisante pour l'ambassade de France, fut rendue publique. La France se sentit provoquée par la «fausse dépêche d'Ems» et déclara la guerre à l'Allemagne. Les deux camps s'y étaient certes préparés depuis longtemps, mais ce fut Napoléon III qui donna le coup d'envoi aux hostilités.

Als hätte sich ein Kalksteinfelsen himmelwärts von selber zum Kristall geformt, so liegt die alte Stiftskirche St. Lubentius und Juliana über den Ufern der Lahn: künstlerische Formen der Romanik krönen die natürliche Formation des Gesteins. Schon das 8. Jahrhundert hatte sich die Warte als Standort einer wahren Gottesburg gewählt, die dreischiffige Emporenbasilika, die wir heute hier sehen, entstand im wesentlichen vom 11. bis zum frühen 13. Jahrhundert. Auch im Inneren ist der Eindruck vollkommen.

Perched on a limestone cliff, the ancient collegiate church of St. Lubentius and Juliana towers up high above the River Lahn. The natural formations of the limestone blend perfectly with the Romanesque architectural patterns. The rock was first chosen as the site for a church in the 8th century. The triple-naved basilica with its galleries which is depicted here was built mainly between the 11th and the early 13 century. The interior of the church is just as outstanding as its exterior.

L'ancienne abbaye St. Lubentius et Juliana se dresse au-dessus des rives de la Lahn, tel un rocher de calcaire qui se serait transformé en cristal. Les formes artistiques de l'art roman couronnent la formation naturelle de la roche. Au 8ème siècle déjà, une maison de Dieu s'élevait sur cette hauteur. La basilique à trois nefs que l'on peut admirer aujourd'hui a été construite du 11 au 13ème siècle. L'architecture de son intérieur égale sa beauté extérieure.

Nur ein wenig abwärts an der Lahn wiederholt sich fast das Bild. Als Dietkirchen vollendet war, wuchs im nahen Limburg ein neuer, stolzer Dom, mit sieben Türmen Ausdruck vollendeter Baukunst im Übergang zwischen Romanik und Gotik. Auf einem engen Felsplateau drängt sich die kreuzförmige Basilika. Am Ostrand wacht die alte Gaugrafenburg über den Domberg, die Bauten aus dem 13. bis 18. Jahrhundert ergänzen malerisch das innerstädtische Ensemble. Im Halbkreis liegt darum die Stadt im Fachwerkschmuck.

There is a similar setting a little further down the Lahn. When Dietkirchen was completed, work began in Limburg on a splendid cathedral. With seven spires it is an example of architectural perfection in the transition from Romanesque to Gothic. Built in the shape of a cross, the basilica stands on a narrow plateau which is guarded to the east by Gaugrafenberg Castle. Limburg, with its many half-timbered buildings, extends around the hill in a semi-circle.

Une image très similaire se répète en aval de la Lahn. Après que Dietkirchen fut terminée, une cathédrale majestueuse de sept tours qui relie le roman tardif au gothique primaire, s'élevait dans la ville voisine de Limburg. La basilique en forme de croix se dresse sur un étroit plateau rocheux. Le château des comtes du Lahngau (13ème – 18ème) qui veille à l'Est sur le Dom, complète admirablement l'architecture à colombage de la ville.

„An den Rhein, an den Rhein, zieh nicht an den Rhein, mein Sohn, ich rate dir gut..." – So schrieb der Dichter und Professor Karl Simrock im vergangenen Jahrhundert. Er hat sich aber selber nicht daran gehalten, hat „Haus Parzival" gebaut am Rhein, und er hat es auch gar nicht so gemeint, denn das Lied fährt später fort: „Da geht dir das Leben zu lieblich ein, da blüht dir zu freudig der Mut." Im Mittelalter hatte er strategische Bedeutung, hier konnte man leicht Zoll kassieren und deshalb säumen ihn soviele Burgen.

"Mark my words well, my son. Do not go and live by the Rhine." But 19th century poet Karl Simrock, who built "Parsifal House" by the Rhine, ignored his own advice which was meant a bit tongue-in-cheek anyway. "Life there will be too sweet for you", the poem continues, "and boldness will blossom too readily in you." In the Middle Ages the Rhine was of strategic importance. On this stretch of the river it was easy to collect duties. That is why it is lined by so many castles.

«Sur le Rhin, sur le Rhin, ne viens pas y demeurer, mon fils, c'est un conseil que je te donne...» écrivait au siècle dernier le poète Karl Simrock. Il ne suivit pas ce conseil lui-même car il fit bâtir «Haus Parzival» sur le fleuve et sa chanson continue ainsi: «La vie y devient bien trop douce, le coeur se dilate trop joyeusement.» La région du Rhin a toujours attiré les hommes et les châteaux qui la parsèment témoignent de l'importance stratégique qu'elle avait au Moyen Age.

Die Koblenzer schenkten dem preußischen Kronprinzen Friedrich Wilhelm IV. eine Ruine. Der ließ daraus ab 1825 durch seinen Baumeister Schinkel Schloß Stolzenfels aufs neue entstehen und zog im Jahr der Fortsetzung des Kölner Dombaus, 1842, mit großem Gefolge hier ein, in altdeutscher Tracht. Die Marksburg über Braubach hat sich dagegen ihr romanisches Äußeres aus der Zeit ihrer Entstehung herübergerettet. Der Bau des 14. bis 18. Jahrhunderts wurde nie zerstört. Heute ist die Marksburg Sitz der Deutschen Burgenvereinigung.

In the 19th century, it was apparently an honour, not a nightmare, to receive a dilapidated castle as a present. The Crown Prince of Prussia was delighted to find himself the owner of the ruins of Stolzenfels (105), a gift from the people of Koblenz, and enthusiastically set about the process of restoration. In 1842 he moved in, accompanied by a large retinue dressed in suitably traditional garb. Marksburg, dating from the 12th century, has the distinction of being the only intact castle on the Rhine. It stands on a peak 460 ft. high, overlooking the town of Braubach.

Les habitants de Coblence offrirent une ruine au prince héritier prussien Frédéric Guillaume IV. Son architecte Schinkel rebâtit le château de Stolzenfels à partir de 1825 et reprit également la construction du Dom de Cologne en 1842. Par contre, le Château de Marksburg près de Braubach a sauvegardé son image romantique originale. L'édifice qui date du 14 au 18ème siècle n'a jamais subi de destruction. Il est aujourd'hui le siège de l'Association allemande des châteaux.

Die Burg der hessischen Grafen von Katzenelnbogen über St. Goarshausen hieß im Volksmund immer schon „Burg Katz". Ein Stück weiter lag die befeindete Deurenburg, von den Herren auf der „Katz" geringschätzig „Maus" genannt. Der 132 Meter hohe Schieferfelsen Loreley im Hintergrund war ein sicherer Zufluchtsort. Eine Burg hat es hier nie gegeben, auch kein blondes Weib am Wasser, das mit Kämmen und Gesang die Schiffer ins Verderben zieht. Die hat erst 1800 der Dichter Brentano erfunden, und Heinrich Heine hat sie dann unsterblich gemacht.

Two magnificent landmarks of the Rhine lie above St Goarshausen. The castle of the Counts of Katzenelnbogen is known simply as 'the Katz'. (The counts dismissed the rival castle of Deurenburg nearby as 'the Mouse'.) The 400 ft. high slate cliff in the background is the notorious Loreley, home of the blonde maiden whose song lured the sailors of the Rhine to a watery grave. The dangers of the massive crag were real; the mysterious maiden is pure 19th century, invented by the Romantic writer Brentano and subsequently immortalized in a poem by Heinrich Heine.

La langue populaire a toujours appelé «le Chat», le château des comtes hessois de Katzenelnbogen. Un peu plus loin en aval, se dressait le château ennemi de Deurenburg dit «la Maus» «la Souris» ainsi que le nommaient avec mépris les seigneurs «du Chat». A l'arrière-plan, le rocher de la Loreley, haut de 132 mètres n'a jamais été habité par une sirène qui chantait en peignant ses longs cheveux blonds. Le poète Brentano l'a inventée en 1800 avant que Heinrich Heine ne l'immortalise à jamais.

Am 1. Januar des Jahres 1814 stiegen hier 200 Brandenburger in die Kähne. Nach der Völkerschlacht bei Leipzig trieben die Preußen Napoleon zurück über den Rhein, und Marschall Blücher, auf dem Vormarsch, überschritt bei Kaub den Rhein. Die malerische „Pfalz", die Zollstelle Pfalzgrafenstein, von König Ludwig aus Bayern 1327 hier errichtet, damit auch die geistlichen Kurfürsten endlich ihren Zoll beglichen auf dem Rhein, sieht selber wie ein Schiffchen aus.

At Kaub the Rhine forces its way through a narrow gorge. With its castle above and islet below, Kaub was an obvious site for collecting river duties, and indeed the boatshaped customs house with the impressive name of Pfalzgrafenstein fulfilled that task for several hundred years. Kaub has also gone down in history as playing a part in the story of those two arch-rivals, the French Emperor Napoleon and the formidable Prussian Marshal Blücher. Blücher crossed the river at Kaub to ensure, that Napoleon was finally driven back over the Rhine and out of Germany.

C'est à cet endroit que s'embarquaient 200 Prussiens, le 1er janvier 1814. Napoléon avait dû repasser le Rhin après la bataille de Leipzig. Le maréchal Blücher, son poursuivant, traversa le fleuve à Kaub. Au milieu du Rhin, le roi Ludovic de Bavière fit ériger en 1327, le pittoresque château-fort de la Pfalz sur le «Pfalzgrafenstein» afin que les princes électeurs avares payent enfin les droits de péage sur le Rhin.

„Zu Bacharach am Rhein / soll sein der beste Wein." – So heißt es in einem Trinklied des 17. Jahrhunderts. Das schöne Städtchen bei Burg Stahleck hat nach dem Wein sogar den Namen: Bacchiara hieß es in der Römerzeit. Im vierzehnten Jahrhundert bekam der Weinort Stadtrecht und ringsum eine Mauer, die noch gut erhalten ist. Hier wird der „Volksheilige" Werner verehrt, ein Knabe, den man in Bacharach erschlagen haben soll. Die Kapelle zu seiner Legende, auch heute noch gotisches Wahrzeichen der Stadt, wurde 1689 zerstört.

According to the 17th century drinking song, "It's in Bacharach on the Rhine that you'll find the best wine". And indeed, this charming little town near Stahleck Castle even takes its name from Bacchus, the Roman god of wine. Bacharach was granted its town charter in the 14th century. Werner, a youth said to have been beaten to death in the town, is revered as a popular saint. The chapel erected in his honour, which is still the Gothic hallmark of Bacharach, was destroyed by French troops in 1689.

«C'est à Bacharach sur le Rhin qu'on boit le meilleur vin» déclame une chanson à boire du 17ème siècle. La jolie petite ville près du château Stahleck doit même son nom au vin; Bacchiara, autel de Bacchus, disait-on à l'époque romaine. Ce fief du vin reçut les droits communaux et un mur d'enceinte au 14ème siècle. On y vénère le jeune Werner, un saint du peuple qui aurait été assassiné dans la ville. La ruine de la Sankt Werner-Kapelle est un charmant témoignage gothique de la ville.

Die allegorische Figur der Rheinromantik ist die Loreley. Ihre romantische Schwester Germania wird in der Kaiserzeit die stattliche Verkörperung von deutscher Art und Wehrhaftigkeit, und nach dem Sieg von 1871 erhielt sie auf dem Niederwald bei Rüdesheim, gegenüber Bingen und Burg Rheinstein, ihr Denkmal hoch über dem Rhein. Angeblich schaut sie wachsam nach Frankreich, doch das liegt ganz woanders – ungefähr da, wohin der Friedensengel rechts am Sockel blickt.

Germany is not the only European country to have personified itself as a rather daunting female personage dressed in a cumbersome, if classical, manner. Germania stands on her pedestal high over the Rhine near Rüdesheim to celebrate the defeat of France and the unification of Germany in 1871. It was no accident that the statue was erected here, on the great artery of the Rhine and at a place that had once marked the border of a divided Germany. Germania is supposed to gaze vigilantly towards France, but her sense of direction is unfortunately very poor.

La Loreley est l'allégorie du Rhin romantique. Sa soeur Germania incarnait les qualités allemandes au temps des empereurs. On érigea une statue en son honneur après la victoire de 1871. La Germania, haute de 10,50 mètres, se dresse sur le plateau du «Niederwald» près de Rudesheim, en face de Bingen et du château «Rheinstein». On dit que son regard vigilant est tourné vers la France, mais en vérité, notre pays voisin est situé dans la ligne de vision de l'ange de la paix sculpté sur le socle droit.

Am 13. Januar 1793 pflanzten die Mainzer gleich neben dem Dom einen „Freiheitsbaum". Noch heute erinnert dort ein Stern im Asphalt an den Mainzer Versuch mit der Republik nach französischem Muster. Kaum jemand in Deutschland erinnert sich daran. Dafür lernt jedes Kind in der Schule, daß hier Johannes Gutenberg um 1440 den Buchdruck mit gegossenen beweglichen Lettern erfunden hat. Die Hauptstadt von Rheinland-Pfalz sitzt auf dem linken Ufer des Rheins. Gleich gegenüber ist die hessische Hauptstadt Wiesbaden.

The Romans made Mainz into a provincial capital; now it is the capital of the state of the Rhineland-Palatinate. Mainz was the stage for one of the world's greatest revolutions, a peaceful one at that, for it was here that Johann Gutenberg perfected his technique of printing books with movable metal type. There is working reconstruction of his press in the Gutenberg museum in Mainz, with authentically-dressed printers turning out souvenirs. Poor Gutenberg had to sell his magnificent books to his debtors before he died, poverty-stricken, in 1468.

Le 13 janvier 1793, les habitants de Mayence plantaient un arbre de la liberté à côté de la cathédrale. Aujourd'hui encore, une étoile dans l'asphalte rappelle cette tentative des Mayençais d'établir une République d'après le modèle français. Si les enfants n'apprennent plus cet épisode à l'école, on leur enseigne que c'est à Mayence que Jean Gutenberg inventa l'imprimerie en 1440. La capitale de la Rhénanie-Palatinat est située sur la rive gauche du Rhin, juste en face de la ville d'eau de Wiesbaden.

Die Vorstellung von Volksherrschaft, von Demokratie, ist in Deutschland mit der Frankfurter Paulskirche verknüpft. Hier trat im Mai 1848 die erste deutsche Nationalversammlung zusammen. Hier wurde eine Reichsverfassung beschlossen, noch ehe es ein Reich gab. Der Preußenkönig lehnte eine Kaiserkrone aus der Hand des Volkes ab, 1851 wurden die Beschlüsse wieder aufgehoben, ihre Grundsätze aber wirkten bis ins deutsche Grundgesetz hinein und gelten so noch immer.

Frankfurt (see over), famous for its sausages, its banks, its airport and its Book Fair, also has its place in the history of modern Germany. It was in 1848, within the severe surroundings of the Church of St Paul, that the first attempt was made to unite the fragmented regions in the centre of Europe into one German nation. The venture was doomed to failure, but the principles laid down were not lost, and were to influence the Constitution of the Federal Republic of Germany created just over a century later.

L'idée de démocratie, de gouvernement par le peuple est en Allemagne liée à l'église Saint-Paul ou «Paulskirche» de Francfort. La première Assemblée Nationale allemande y siégea en mai 1848. Une première constitution impériale y fut établie, mais le roi de Prusse refusa d'accepter la couronne impériale des mains du peuple. Si les résolutions furent annulées en 1851, leurs principes forment toujours les bases de la constitution actuelle. Les anciens édifices de la place du «Römerberg» sont aujourd'hui entourés des palais de verre du monde financier.

Als Mainz an die Franzosen fiel, wurde Aschaffenburg 1798 Sitz der Kurfürstlichen Regierung. Die Burg und die Stadt waren schon im 10. Jahrhundert an die Mainzer Erzbischöfe gefallen. Nach dem Wiener Kongress kam das kleine Fürstentum dann 1816 endgültig zu Bayern. 1605 bis 1614 war am Ufer des Main, an der Stelle der mittelalterlichen Johannisburg, das gewaltige Renaissanceschloß errichtet worden, die erste Burganlage Frankens, die nunmehr nur dem Wohnen diente, nicht mehr der Verteidigung.

The huge symmetrical palace of Johannisburg dates from the early 17th century, and is one of the few great Renaissance buildings in Germany, although it is built around the keep of a mediaeval castle. The massive palace dominates the park around, emanating an air of solid and indisputable authority, and indeed the once mighty Bishops of Mainz often made it their residence. The building was partially financed by the fortunes confiscated after the infamous witch trials in the region.

Aschaffenburg devint en 1798 le siège des princes-électeurs après que Mayence fut tombée aux mains des Français. Suite au Congrès de Vienne, la petite principauté était en 1816 définitivement rattachée à la Bavière. Sur le bord du Main, fut érigé le «Schloss Johannisburg», une vaste construction de style Renaissance, le premier château de Franconie qui servait de résidence et non point de forteresse.

Ein Krämer aus Nürnberg, der unterwegs nach Frankfurt war, soll sich in dieser Landschaft auf ein Stoßgebet besonnen haben: „Mein Gott, du hast mir aus dem Mutterleib geholfen, du wirst mir auch aus dem Spessart helfen." Die Einsamkeit der großen Wälder ist heute nicht mehr furchterregend. Die alte Räuberhöhle dieser Gegend, das historische „Wirtshaus im Spessart", fiel 1959 der Autobahn zum Opfer. Märchenhaft ist heute noch – wie seit dem 15. Jahrhundert – das abgelegene Schloß Mespelbrunn.

A shopkeeper from Nuremberg who was passing through this region on his way to Frankfurt is said to have prayed: "Oh Lord! Thou hast helped me out of my mother's womb, please help me out of the Spessart, too." But today the emptiness of the huge forests is no longer frightening. In 1959 the historic "Spessart Tavern", a former meeting-place for thieves and robbers, was pulled down to make way for a motorway. The remote palace of Mespelbrunn has lost none of its charm over five centuries.

Un épicier de Nuremberg, en route pour Francfort, aurait adressé au ciel une instante prière quand il se retrouva dans les parages de Mespelbrunn: «Mon Dieu, tu m'as aidé à sortir des entrailles de ma mère, aide-moi aussi à sortir du Spessart.» La solitude des forêts immenses n'est plus menaçante de nos jours. Les vieilles antres des voleurs et l'auberge historique du Spessart ont disparu durant la construction de l'autoroute en 1959. Seul, le château isolé de Mespelbrunn possède toujours la même splendeur qu'au 15ème siècle.

Westlich an den Spessart grenzt der Odenwald, geschichtsträchtiges Kulturland mit schönen Städtchen noch im alten Schmuck. Hier lag das Jagdgebiet der Nibelungen, hier zeigt man bei Grasellenbach die Siegfriedquelle, wo Hagen Siegfried hinterrücks ermordet haben soll – vorausgegangen war ein Streit der Königinnen vor dem alten Dom zu Worms. Sicher freilich ist das alles nicht; sicher aber ist, daß Luther 1521 vor dem Reichstag zu Worms bei seiner protestantischen Meinung blieb.

To the west of the Spessart lies the Odenwald. Its little towns have changed little down the ages. The whole area is closely connected with the great saga of the Nibelungs, used by Wagner in his 'Ring' cycle. The town of Worms lies on the Rhine at the foot of the Odenwald and it was here that the great Protestant reformer Luther was summoned to defend his principles in 1521. The Liebfrauenkirche next to the river is surrounded by a little vineyard, home of the Liebfrauenmilch, though the wine is only genuine when the words 'Kirchenstück' appear on the bottle.

L'Odenwald, une contrée riche en culture et en charmantes villes anciennes s'étend à l'Ouest du massif du Spessart. C'est la région des «Nibelungen». On peut voir près de Grasellenbach, la Source de Siegfried où Hagen aurait assassiné le héros, après une querelle des reines devant la vieille cathédrale de Worms. Ces histoires ne sont peut-être que légendes, ce qui est vrai est la profession de foi de Luther devant la Diète de 1521, réunie à Worms par Charles-Quint.

Ein Kaiser legte 1030 hier den Grundstein, acht Könige und Kaiser liegen hier begraben: Der Kaiserdom von Speyer beherrscht das Bild der alten Stadt am Rhein, seit der 900-Jahr-Feier 1961 fast wieder in der ehemaligen Gestalt. Saarbrücken ist die Hauptstadt des jüngsten Bundeslandes; erst 1957 kam das Saarland endgültig zur Bundesrepublik. Die Stadt am Rand der Republik vereinigt heute die Denkmäler ihrer fürstlich-barocken Vergangenheit mit modernen Kongreß- und Verwaltungsgebäuden.

The town of Speyer is dominated by its cathedral beside the Rhine. It is a majestic building dating from 1030, with an interior of monumental simplicity. The splendid crypt contains the graves of numerous German emperors, kings and bishops. Outside the west door stands a decorated stone basin that was placed here in 1490 for an unusual purpose. Every time a new bishop was enthroned, the basin was filled with wine so that the people of Speyer could celebrate in style. Saarbrücken is the capital of the youngest German state, the Saarland,

Un empereur y posait la première pierre en 1030, huit rois et empereurs y reposent: la majestueuse cathédrale impériale de Spire domine l'ancienne ville sur le Rhin. Sarrebruck est la capitale du plus jeune «Land» allemand: il n'a été définitivement rattaché à l'Allemagne fédérale qu'en 1957. La ville-frontière réunit aujourd'hui les monuments de son passé princier de l'époque baroque et les édifices modernes des congrès et administrations.

„Ich rüm dich Haidelberg", sang Oswald von Wolkenstein im Mittelalter, und 1927 hieß es dann im Operettenton: „Ich hab mein Herz in Heidelberg verloren". Hier sammelten Brentano und Achim von Arnim die Lieder für „Des Knaben Wunderhorn", in ihrem Umkreis von Malern und Dichtern entstand die „Heidelberger Romantik", eine der bedeutenden Epochen der deutschen Kulturgeschichte. Beliebtes Motiv war schon damals das Schloß hoch über dem Neckar, jahrhundertelang ein Palast, seit 1693 eine Ruine – doch stimmungsvoll wie eh und je.

"Heidelberg, I praise thee", sang the much-travelled mediaeval poet Oswald von Wolkenstein, "I lost my heart in Heidelberg", carolled the singers of the nineteen-twenties in a romantic foxtrot. Heidelberg, (see previous page) one of the most famous cities in Germany, has long been an inspiration for poets and painters. It also has one of Germany's oldest universities and a good many scientific institutes, but it is the old bridges, the baroque houses and the great castle overlooking the town that make Heidelberg into one of Germany's best-known tourist attractions.

«Je te loue Heidelberg», chantait Oswald von Wolkenstein à la fin du Moyen Age. C'est dans cette ville que Brentano et Achim von Arnim composaient les chansons pour «le Cor merveilleux de l'enfant». Le romantisme d'Heidelberg, une des périodes les plus importantes de la culture allemande, naquit dans le groupe de poètes et de peintres dont faisaient partie les deux artistes. Un des motifs préférés de l'époque était déjà le château en ruines, mais si impressionnant, qui domine le Neckar.

Würzburg war schon immer eine Stadt der Türme. Als Kaiser Barbarossa hier Hochzeit hielt mit Beatrice von Burgund, waren rings um den romanischen Dom an die dreißig Kirchen und Klöster zu zählen, und Heinrich von Kleist erlebte die Stadt im engen Tal des Main noch ebenso: „Die Häuser in den Tiefen lagen in dunklen Massen da wie das Gehäuse einer Schnecke, in die Nachtluft ragten die Spitzen der Türme wie die Fühlhörner eines Insekts." Verwirrend ist auch die Vielfalt der Stile innerhalb des alten Festungsgürtels.

Würzburg has always been a city characterized by towers. When Emperor Frederick Barbarossa married Beatrice of Burgundy here in the Middle Ages there were already some 30 churches, convents and monasteries scattered around the Romanesque cathedral. Heinrich von Kleist described the buildings of the town, which lie in the narrow valley of the Main, as looking "like a snail's house while the tips of the towers reached into the night air like the feelers of an insect".

Würzburg a toujours été une ville de tours. On comptait une trentaine d'églises et de cloîtres autour de la cathédrale romane quand l'empereur Barberousse y épousa Béatrice de Bourgogne. Heinrich von Kleist décrivit ainsi la ville: «Les masses des maisons dans la profondeur ressemblaient à des coquilles d'escargots. Les pointes des tours s'élevaient comme des antennes d'insectes.» Tous les styles, le roman, le gothique et le baroque se côtoient à l'intérieur des anciens remparts de la ville.

Der alten Residenzstadt gegenüber liegt Würzburgs Festung Marienberg, wuchtig, uneinnehmbar auf dem Burgberg. Der Fürstbischof Julius Echter von Mespelbrunn ließ die wehrhafte Zitadelle zum Barockpalast erweitern. Auch Balthasar Neumann hat sich hier wie überall im fränkischen Barock verewigt. Aus dem Barock stammen auch die Heiligenfiguren auf der alten Mainbrücke. „Unterhalb der Mauern wächst der würzige Frankenwein, den nicht nur Goethe allen Weinen vorzog."

Overlooking Würzburg is the mighty fortress of Marienberg. The prince-bishop Julius Echter of Mespelbrunn had the well-fortified citadel turned into a baroque palace. Here, as in many other towns in Franconia, the baroque architect Balthasar Neumann gained immortality through his magnificent work. The statues of saints on the old Main Bridge are also baroque. The fruity Franconian wine that grows here is famous throughout the whole of Germany. Goethe, it is said, preferred it to all other wines.

La Citadelle de Marienberg se dresse, puissante et imprenable, en face de la ville résidentielle. Le prince-évêque Julius Echter von Mespelbrunn fit transformer la citadelle fortifiée en palais de style baroque par l'architecte Balthasar Neumann qui construisit également la Résidence, un des plus beaux monuments d'art baroque. Les figures saintes du Vieux Pont étaient aussi du même style. «Sous les murs de la ville pousse le vin fruité que Goethe n'était pas le seul à préférer.»

„Altfränkisch" ist im Deutschen eigentlich kein schmeichelnder Begriff: Er meint das Überlebte, Angestaubte, Enge ohne Horizont. In Rothenburg, im Westen Mittelfrankens aber ist das alte Fränkische als Sehenswürdigkeit beliebt wie einst. Die engen Gassen mit den dichtgedrängten Häusern, die spitzen Giebel mit den roten Pfannen, die Brunnen, Tore, Fachwerkbauten locken die Besucher in das stille Taubertal. Hier finden sie, weit schöner als woanders, das intakte Bild einer spätmittelalterlichen Kleinstadt.

In German "old Franconian" is not a very flattering term. It means "antiquated, narrow-minded". But where Rothenburg in central Franconia is concerned, old Franconian means something really special. Situated by the peaceful valley of the River Tauber, Rothenburg is the finest example of a mediaeval town that has been completely preserved through to the present day. The narrow streets, the compact buildings with their pointed gables, and the town's many ancient gates and fountains captivate thousands of visitors every year.

Rothenburg située en Moyenne-Franconie, a gardé la physionomie qu'elle avait à la Renaissance. La ville pittoresque avec ses rues étroites, ses maisons aux pignons pointus recouverts de tuiles flamandes, ses fontaines, ses portes, ses édifices à colombage attirent les visiteurs dans la vallée calme de la Tauber. La ville possède encore sa ceinture de murailles dont le chemin de ronde est accessible à plusieurs endroits.

Rothenburg trägt seinen Namen nach der „roten Burg" einer ausgestorbenen Adelslinie. 1172 erhielt es Stadtrecht, ein Jahrhundert später wurde Rothenburg dann Reichsstadt und mehrte seinen Einfluß im Schutz der Reichsfreiheit um das 14. Jahrhundert. So stammen aus dem 13. bis 15. Jahrhundert die meisten der bedeutenden Bauten der Stadt, das Rathaus mit dem schönen Treppengiebel, das Rödertor, die alte Franziskanerkirche und nicht zuletzt die Mauer, die das mittelalterliche Kleinod fest umgürtet.

Rothenburg takes its name from the "Rote Burg" or "Red Castle" which was once the home of a noble family. In 1172 Rothenburg was granted a town charter. A century later it became a free imperial city and used this status to increase its influence. That is why most of the important buildings in the town date back to the period between the 13th and 15th centuries. These include the town hall with its beautiful baroque arcade, the Röder Gate, the ancient Franciscan church and not least the protective wall that surrounds this delightful example of mediaeval architecture.

Rothenbourg doit son nom à une lignée de nobles disparue. La cité reçut les droits communaux en 1172, devint ville libre impériale un siècle plus tard et prit de l'influence au 14ème siècle grâce à la protection de l'Empire. C'est du 13 au 15ème siècle que datent les monuments principaux de la ville: l'Hôtel de Ville et son bel escalier, la «Rödertor», la vieille église des Franciscains et les murs qui entourent ce vrai joyau du Moyen Age.

Hier gibt es Städte, die wie Bausparkassen heißen, und das nicht nur von ungefähr: Schwaben gilt noch immer als das Land der Häusle-Bauer, zwischen Leonberg, Wüstenrot und Schwäbisch-Hall hält man seine Groschen beisammen. Nach Schwäbisch-Hall, zur Zeit der Staufer freie Reichsstadt, hat Luther in der Bibelübersetzung eine kleine Kupfermünze „Heller" genannt. „Hall", so hieß das Salz, das die Stadt einst reich gemacht hat. Der alte Wohlstand zeigt sich heute noch im Rathaus aus dem Rokoko, einem der schönsten in Deutschland.

Schwäbisch Hall is just one of the towns in this region that has given its name to a building society. This is not surprising considering the reputation the people of Swabia have for being careful with their money and saving up to buy a house. During the period of the Hohenstaufen Emperors Schwäbisch Hall was a free imperial city. Its wealth in those days came from the salt mines around the town. Today its former prosperity is reflected in the rococo town hall, one of the most beautiful in Germany.

Dans cette région, il y a des villes qui ont des noms de banques. Et ce n'est pas surprenant car les Souabes ont une réputation d'économie. Tout le monde possède son bas de laine entre Leonberg, Wüstenrot et Schwäbing Hall... A l'époque des Hohenstaufen, alors que Schwabing Hall était ville impériale, Luther nomma un dernier «Heller» dans sa traduction de la bible, d'après la cité. «Hall» est le nom souabe donné au sel qui apporta la prospérité à la ville. L'Hôtel de ville de style baroque témoigne aujourd'hui de l'ancienne richesse de la ville.

Der Markgraf Karl-Wilhelm suchte einst den Fächer seiner Frau, im Hardtwald schlief er ein, da träumte ihm von einer Stadt, die aussah wie ein Fächer. Das ist weit mehr als eine bloße Anekdote: Am 17. Juni 1715 legte der Markgraf den Grundstein für ein Jagdschloß „Carlos-Ruhe". Von hier aus führten 32 Schneisen strahlenförmig in den Wald. Inzwischen ist die Stadt vom Schloß bis an den Rhein gewachsen, doch noch heute zeigt sie im Grundriß den absolutistischen Einfall seiner Gründungszeit: die Gnadensonne des Regenten.

Margrave Karl-Wilhelm, so the story goes, fell asleep in the Hardtwald forest one day whilst looking for a fan his wife had lost there. He dreamt of a city shaped like a fan. On June 17, 1715 the margrave laid the foundation stone for a hunting lodge which he called "Carlos Ruhe" – "Carlos' Rest". Thirty-two lanes led out into the forest from the lodge like the spokes of a wheel. Today the town has spread from the palace down to the Rhine but its layout still clearly reveals the absolutist concept behind its creation: like warmth from the sun, all grace emanates from the Regent.

Le margrave Charles-Guillaume était à la recherche d'un éventail que son épouse avait perdu. Il s'endormit dans le «Hardtwald» et rêva d'une ville en forme d'éventail. Cette histoire est plus qu'une anecdote: le 17 juin 1715, le margrave posait la première pierre d'un château de chasse, le «Carlos-Ruhe» ou Repos de Charles, d'où 32 laies présentant une symétrie radiaire, partaient vers les bois. La ville aujourd'hui s'étend jusqu'au Rhin, mais on peut encore distinguer l'idée absolutiste de son fondateur: une vision de roi-soleil.

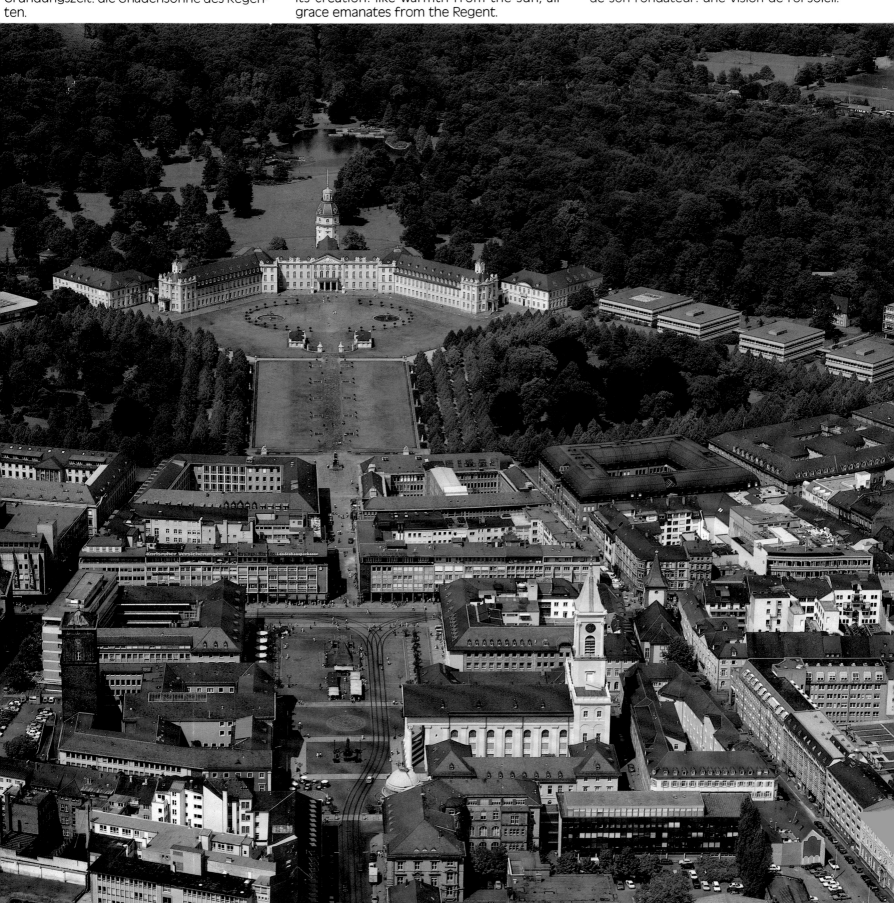

Stuttgart ist die Hauptstadt des Kunstgebildes Baden-Württemberg, und dies mit großem Erfolg. Das Land der Weingärtner, der Schwaben und der Badener gilt heute stolz als „Musterländle", führend in moderner Technologie. Auch die Landeshauptstadt umspannt diese scheinbaren Gegensätze: Stuttgart ist noch immer die drittgrößte Weinbaugemeinde im Südwesten und die Heimat des Automobilbaus. Als Schiller hier die Militärakademie besuchte, war der Schloßplatz ein sandiger Exerzierplatz. Heute lädt er ein zum Bummeln.

Stuttgart is the flourishing capital of the state of Baden-Württemberg, a region famous for its wine and its industry. And these two quite contrasting sectors also determine the economic life of Stuttgart. It is still the third biggest wine-growing town in the South-West and is also a major car manufacturing centre. When Friedrich Schiller attended the military academy here, the Schlossplatz square was a sandy parade ground. Today it is a nice place for a stroll.

Stuttgart est la capitale cultivée et prospère du Bade-Wurtemberg. La contrée des vignobles, des Souabes et des Badois s'enorgueillit aujourd'hui d'être un »Land« modèle, à la tête de la technologie moderne. Stuttgart est à la fois le fief de la construction automobile et la troisième ville viticole du Sud de l'Allemagne. La cour du château servait à l'exercice à l'époque où Schiller fréquentait l'académie militaire. C'est un lieu de promenade favori aujourd'hui.

Das Alte Schloß zeigt sich mit seinen wuchtigen Außenmauern und dem prächtigen Innenhof heute wieder in der Form, die ihm der baulustige Herzog Christoph von Württemberg in den Jahren nach 1553 gab. Heute pulsiert in den alten Mauern wieder neues Leben, denn Ausstellungen von Rang finden hier statt. Das neue Schloß von 1744, früher die Residenz der Könige von Württemberg, heute im Besitz der Landesregierung, ist ein barokker Bau im Stil des Schlosses von Versailles und dient heute repräsentativen Zwecken.

The "Old Palace" with its thick walls and impressive courtyard was built in 1553 by Duke Christof of Württemberg. Destroyed in the Second World War, it has been completely restored and is now used for staging exhibitions. Close by stands the "New Palace". The residence of the kings of Württemberg, it was constructed in 1744. Today this baroque building which borders on the broad Palace Square is used by the state government of Baden-Württemberg for representative purposes. Like the "Old Palace" it had to be restored after World War II.

Le vieux château aux murailles imposantes et à la magnifique cour intérieure, a retrouvé sa splendeur d'autrefois. Les bombes de la seconde guerre mondiale détruisirent la demeure féodale que le duc Christophe de Württemberg fit ériger à partir de 1553. Les anciens murs accueillent aujourd'hui des expositions prestigieuses. Le nouveau château de 1744, ancienne résidence des rois de Württemberg et actuellement possession du gouvernement du Land, est un monument baroque dans le style de Versailles.

Das nahe Ludwigsburg wuchs langsam um das Schloß herum, das nach 1704 hier entstand als dritte württembergische Residenz neben Stuttgart und Tübingen. Es ist das gewaltigste Barockschloß, das sich auf deutschem Boden findet. Tübingen ist heute weniger als Residenz bekannt, es gilt als Stadt der Dichter und der Denker. Die Eberhard-Karls-Universität von 1477 hat eine Reihe von bedeutenden Gelehrten hervorgebracht, hier las Melanchthon, und hier gab Ernst Bloch seine „Tübinger Einleitungen in die Philosophie".

North of Stuttgart lies the palace of Ludwigsburg, around which a town was laid out in 1709. New residents were easily attracted by the promise of free building sites and material, and 15 years without taxes. Tübingen (see over) is renowned for its venerable and highly-regarded university, and also for the number of famous Germans who have studied here. The picturesque streets of the old town lead down to the quiet River Neckar, where students can normally be found punting on hot summer days.

La ville de Ludwigsburg poussa lentement autour du château édifié à partir de 1704 pour devenir la troisième résidence wurtembourgeoise après Stuttgart et Tubingen. Le château est le plus grand ensemble d'art baroque sur le sol allemand. Tubingen est connue aujourd'hui comme la ville des poètes et des penseurs et surtout comme la ville natale d'Hölderlin. La vieille université fondée en 1477 a compté le philosophe Ernst Bloch et le théologien Melanchton parmi ses maîtres.

Seit niemand mehr die Preußenkrone trägt, krönt sie den schönsten Berg in Schwaben. Am Nordrand der Schwäbischen Alb steht das Schloß Hohenzollern, der Stammsitz des alten Adelsgeschlechts, dessen brandenburgischpreußische Linie nach 1871 alle deutschen Kaiser stellte. Das Schloß in über 800 Meter Höhe hatte nach 1850 Preußens König Friedrich Wilhelm IV. auf den Resten alter Fundamente neu erbauen lassen. Das Schloß der Zollern im nahen Balingen steht wehrhaft über dem Ufer der Eyach.

Hohenzollern, looking like a fairytale castle straight from Walt Disney, can be seen for miles around. It could be Snow White's palace, with its Gothic towers and thickly wooded slopes falling away to all sides, but Snow White is certainly older than these walls, for the castle is nearly all of nineteenth century construction. It was the seat of the family of Hohenzollern, which produced all the German Emperors after 1871. To the southwest lies Balingen, with its quaint Zollern palace towering over the banks of the River Eyach.

Depuis qu'elle n'est plus portée par un roi, la couronne de Prusse orne la plus jolie montagne de la Souabe. Le château de Hohenzollern, berceau de la lignée des Brandenbourgeois-Prussiens d'où sont sortis les empereurs allemands après 1871, est situé au Nord du Jura souabe. En 1850, le roi de Prusse Frédéric Guillaume IV fit rebâtir le château sur une hauteur escarpée de 850 mètres à l'emplacement des fondations de l'ancien. Le vieux château des Zollern dans la ville proche de Balingen, domine les rives de l'Eyach.

Im Norden, wo die „Schwarzwald-Hochstraße" aufsteigt aus der Niederung des Rheins, liegt Baden-Baden. Kein Zugang zu den Schwarzwaldhöhen könnte eleganter sein. Die Stadt ist Kur- und Badeort seit Römertagen, hier findet man jede gewünschte Zerstreuung. Das war schon so im vorigen Jahrhundert, als hier der Hochadel der Alten Welt verkehrte. Gesundheit und Vergnügen liegen eng beieinander: Im Kurhaus ist die „schönste Spielbank der Welt", und nahebei liegt Iffezheim, seit 1858 berühmt für seine Pferderennen.

In the north of Baden-Württemberg, where the hills of the Black Forest rise up from the Rhine valley, lies the town of Baden-Baden. This elegant town has been a spa since Roman times and offers visitors a wide variety of entertainments. This was also the case in the last century when Baden-Baden attracted nobility from all over Europe. Health and pleasure are closely connected: the hydro contains what has been called "the loveliest casino in the world" and located only a few kilometres away lies Iffezheim racecourse which dates back to 1858.

Baden-Baden s'étend là où la route des Crêtes de la Forêt-Noire, «la Schwarzwald-Hochstrasse», débouche du creux du Rhin. La cité est ville d'eau et de cure depuis le temps des Romains. On y trouve tous les divertissements souhaités pourvu qu'ils soient chers et précieux! Au siècle dernier déjà, la haute-noblesse fréquentait ce lieu où s'allient la santé et le plaisir: La «Kurhaus» abrite le «plus beau casino du monde» et Iffezheim, célèbre pour ses courses hippiques, n'est qu'à quelques pas.

Die große Waldregion im Rheinknick setzt sich zusammen wie ein Mosaik von Wäldern: Mauswald, Mooswald, Hotzenwald, Weißwald, Kohlwald, Zipfelwald, Berglewald und viele mehr. Bekannt sind alle unter einem Namen: Schwarzwald. Nirgendwo in Deuschland gibt es so viel Ruhe in den Wäldern und nirgendwo so viele Gasthäuser, bei denen auch Gourmet-Kritiker die Mützen ziehen – oder nach den Sternen greifen. Die Menschen kamen zaghaft in das große Waldgebiet: erst Holzfäller und Bauern, jetzt kommen die Touristen.

East of Lake Constance, the Rhine sweeps northwards in a great curve around the edge of the Black Forest, which is really a collective name for a myriad of small forests. The landscape that was once scoured by Ice Age glaciers and then settled only by solitary farmers and woodsmen is now the most famous tourist area in Germany, and a gourmet's delight. As far back as 1900, the English humourist J. K. Jerome, on a walking tour here, expressed his indignation at finding a Black Forest beauty spot without a restaurant nearby.

La grande région boisée au coude du Rhin ressemble à une mosaïque de forêts: le Mauswald, Mooswald, Hotzenwald, Weisswald, Kohlwald et bien d'autres. Ces bois sont tous groupés sous un nom commun: la Forêt-Noire. Nulle part ailleurs en Allemagne, on n'y trouve tant de calme dans les bois et tant d'auberges qui font le délice des gourmets. Les hommes ont pénétré peu à peu dans les profondeurs de la Forêt-Noire. Les bûcherons et les paysans sont venus d'abord, suivis aujourd'hui des touristes.

Sie suchen in den abgeschiedenen Tälern das intakte Bild von dörflicher Kultur – oder einfach Erholung. Meistens finden sie beides: Wanderwege und Wintersportgebiete, heimatliche Trachten und Spezialitäten. Wein vom Kaiserstuhl und Kirschwasser vom Bauern, Kuckucksuhren und Schwarzwälder Schinken. Zum Rhein hin liegen große Städte: Karlsruhe im Norden, das elegante Baden-Baden, im Süden Freiburg, die Hauptstadt im Breisgau, das Tor zum Schwarzwald, wo er hoch und höher wird.

They come to the secluded valleys in search of village life that is still intact – or simply rest and relaxation. Usually they find both: hiking paths and winter sports areas; local costumes and specialities: wine from the Kaiserstuhl area and Kirschwasser distilled by farmers; cuckoo clocks and Black Forest ham. The main towns and cities are all located towards the Rhine: Karlsruhe in the north, the elegant spa of Baden-Baden in the west, and in the south Freiburg, the gateway to the higher regions of the Black Forest.

Dans les vallées isolées, les touristes recherchent une image intacte de la culture paysanne ou tout simplement la tranquillité et le repos. La région a les deux à offrir: de belles randonnées, des stations de sports d'hiver, du folklore et des spécialités culinaires. Le vin des vignobles de «Kaiserstuhl» et le kirsch des paysans. Trois grandes villes s'étendent vers le Rhin: Karlsruhe au nord, l'élégante Baden-Baden et Fribourg, la capitale du Brisgau au Sud.

Freiburg liegt in einer Einbuchtung der Rheinebene in den Schwarzwald, der Freiburger Bucht, in der ein ausgesprochen mildes Klima herrscht. Von 1368 bis 1805 gehörte Freiburg zu Österreich. Den Münsterplatz schmücken prächtige Gebäude: Als „schönsten Turm der Christenheit" bezeichnete der Kunsthistoriker Jacob Burckhardt im 19. Jahrhundert das Münster Unserer Lieben Frau. 116 Meter mißt der Turm, mächtig und erhaben, gleichzeitig aber scheinbar leicht wie Filigran. 300 Jahre lang wurde am Münster gebaut.

Freiburg lies in a sheltered valley off the Rhine. After its foundation, it soon became a town of importance and fell into Austrian hands from 1368 to 1805. There are a number of fine buildings to be seen in the minster square. The Minster of Our Lady itself took 300 years to complete, and the 19th century art historian Jacob Burckhardt described it as having the 'finest tower in Christendom'. The imposing spire is 300 ft. high, a mighty yet delicate structure.

Fribourg est située en Forêt-Noire, dans une anfractuosité de la plaine rhénane. La ville était une possession autrichienne de 1368 à 1805. De magnifiques édifices entourent la place du Münster gothique dédié à la Vierge. La tour de l'église, haute de 116 mètres, fut appelée „la plus jolie tour de la chrétienté" par l'historien d'art Jacob Burkhardt qui vécut au 19e siècle. Carrée à sa base, octogonale à un tiers de sa hauteur, elle se termine par une légère flèche en pierre, d'un travail admirable de filigrane.

Von seinen Gipfeln aus, vom Belchen, Feldberg oder Herzogenhorn, sieht das Bergland aus, als könne es nie enden. In Höhen bis zu 1500 Metern hat das höchste Mittelgebirge in Deutschland beinahe alpinen Charakter. Bei gutem Wetter sind im Herbst die Alpenriesen zu erkennen mit Eigergletscher und Mont Blanc. Nicht immer aber wird das Bild der eigenen Erwartung durch den Augenschein bestätigt: Man sucht vielleicht die unberührte Natur und findet einen Wald im Sterben. Der Schwarzwald heute ist auf Hilfe angewiesen.

Seen from peaks like the Belchen, the Feldberg and the Herzogenhorn, the hills of the Black Forest seem to go on forever. Some of them are up to 1500 metres high and at times the region has an almost alpine character. On a fine day in autumn you can see the Eiger, Mont Blanc and other mountains in the Alps. But the Black Forest does not always come up to expectations. Some visitors who come in search of untouched Nature find trees that are dying because of acid rain. Today the Black Forest is in need of help.

Contemplé de ses sommets, le «Belchem», «le Feldberg» ou «le Herzogenhorn», le paysage de montagnes semble être infini. La plus haute chaîne de montagnes moyennes d'Allemagne possède déjà des caractéristiques alpines avec des altitudes qui atteignent 1500 mètres. Par beau temps, on peut reconnaître les Alpes au lointain, le Mont-Blanc et «l'Eigergletscher». Le paysage trompe pourtant quelquefois: on cherche une nature intacte et on découvre des bois en train de mourir.

Es gibt berühmte Wege durch den Schwarzwald. Der schönste führt vielleicht durchs Höllental, von Freiburg und Kirchzarten bis zum Titisee. Hier ist das Felsental so hoch und eng, daß sich ein Hirsch im Sprung von einer Seite auf die andere gerettet hat. So zumindest meint die Sage, und deshalb steht ein Hirsch aus Bronze heute überm Höllental. Sanft dagegen ist das Glottertal – und eine Herausforderung nur für den Gaumen. Hier, am Südhang des Kandel, liegen die gastronomischen Gipfel im Schwarzwald.

There are some celebrated routes through the Black Forest. Perhaps the most delightful of all is the one from Freiburg and Kirchzarten through the Höllental valley to Lake Titisee. The valley cut through the rock is so narrow here that a stag, so the story goes, once evaded its pursuers by jumping across. That is why today there is a bronze statue of a stag high above the Höllental. The Glottertal valley, on the other hand is quite gentle – and a challenge only for the palate. The restaurants here are reputed to be the finest in the Black Forest.

Il y a des chemins célèbres à travers la Forêt-Noire. Le plus beau traverse sans doute la vallée d'«Höllental», de Fribourg en passant par Kirchkatzen jusqu'au lac de «Titisee». La vallée de rochers est si haute et étroite qu'un cerf aurait sauvé sa vie en bondissant d'un côté à l'autre. C'est du moins ce que raconte la légende illustrée par un cerf de bronze qu'on peut voir au-dessus d'«Höllental». La vallée de «Glottertal», fief gastronomique de la Forêt-Noire, a par contre des formes beaucoup plus douces.

Die Einsamkeit der Täler und der Schwarzwaldhöhen prägt das Leben seiner Bewohner. Holzwirtschaft und Viehzucht herrschen vor, das Wasser lieh den Mühlen seine Kraft. Berühmt ist die Hexenlochmühle bei St. Märgen. Gleich nebenan liegt St. Peter, wie St. Märgen ein Dorf auf der Höhe, doch zugleich ein kultureller Höhepunkt, wo man ihn nicht erwartet. Hier wurde im 11. Jahrhundert ein Kloster gebaut, in 700 Meter Höhe, hier war die Weltflucht noch zu verwirklichen. Heute locken gerade die barocken Bauten die Besucher.

The economic life of the Black Forest is determined by the remoteness of its valleys and its peaks. Cattle-breeding and the timber industry predominate. Water provides the power for the mills. The Witch's Hole Mill near St. Märgen is particularly famous. Next to it lies St. Peter, like St. Märgen a village built on a hill. It is also an unexpected highlight. Here, 700 metres above sea level, in the 11th century a monastery was built where people really could escape from the world. Today the baroque buildings are a tourist attraction.

La solitude des vallées et des hauteurs montagneuses a imprégné la vie des habitants qui vivent surtout du commerce du bois et de l'élevage d'animaux. L'eau fait tourner la roue des nombreux moulins. Un des plus célèbres est le «Hexenlochmühle» ou moulin du trou de la sorcière, près de Sankt-Märgen. Juste à côté est situé Sankt-Peter, un village de montagne, qui abritait une puissante abbaye bénédictine au 11ème siècle et s'enorgueillit aujourd'hui d'une église baroque construite en 1752.

„Was für ein pittoresker Aufenthalt", schrieb der französische Autor Louis-Ferdinand Céline, „als wäre man in einer Operette". Wer ihm nicht glauben mochte, dem riet er: „Gukken sie sich mal das Schloß an". – Das sehen sich in Sigmaringen alle an. Das Hohenzollernschloß über der Donau ist das Produkt verschiedener Jahrhunderte. Begonnen wurde es im Mittelalter, der Bergfried stammt aus jener Zeit, vollendet und als ganzes gestaltet wurde es im 19. Jahrhundert, und seither ragt der Bergfried wie ein Kirchturm aus dem Dach.

"What a picturesque residence", wrote the French author Louis-Ferdinand Céline. "It's like being in an operetta". And anyone who did not believe him was advised to visit the palace for himself, something that every visitor to Sigmaringen does. The Hohenzollern Palace above the Danube is the product of various centuries. The keep dates back to the Middle Ages but the palace was not completed until the 19th century. Since then the keep has protruded from the roof like a church tower.

«Quel endroit pittoresque, on se croirait dans une opérette», écrivait Louis-Ferdinand Céline. Et à celui qui refusait de le croire, il conseillait: «Mais regardez donc le château.» Le château de Hohenzollern au-dessus du Danube est le produit de plusieurs siècles. Son donjon date du Moyen Age, époque à laquelle sa construction a commencé pour s'achever au 19ème siècle. Par ailleurs, la ville a été le lieu d'internement du Maréchal Pétain en 1944.

Annette von Droste-Hülshoff, die Dichterin der „Judenbuche", stammte aus Westfalen. Sie starb in Meersburg, und sie lebte hier im Alten Schloß des Freiherrn von Laßberg, der ihr Schwager war. Das Alte Schloß am Bodensee ist die älteste bewohnte Burg in Deutschland. Es steht hier seit dem 7. Jahrhundert und gab dem Ort am „Schwäbischen Meer" seinen Namen. Gut tausend Jahre jünger ist das „Neue Schloß", bis 1750 nach den Plänen von Balthasar Neumann erbaut. Heute dient es zeitgemäß als „Haus des Gastes".

The ancient settlement of Meersburg with its two castles is surrounded by vineyards that slope steeply down to the shores of Lake Constance. A few miles away, the typically South German rococo church of Birnau overlooks the lake, while in Unteruhldingen there is an extraordinary open-air museum. A whole Stone Age village has been reconstructed here, with houses built on tall wooden stilts in the shallow waters at the edge of the lake. The designs are based on numerous archaeological finds in the area.

La poétesse Annette von Droste-Hülshoff, auteur du «Hêtre aux Juifs», est née en Westphalie. Elle mourut à Meersbourg où elle vivait dans le château de son beau-frère, le baron von Lassberg. La vieille demeure féodale sur le lac de Constance est le plus ancien château habité d'Allemagne. Il existe depuis le 7ème siècle et a donné son nom au lieu sur le «lac souabe». Le «nouveau château» construit en 1750 d'après les plans de Balthasar Neumann, sert aujourd'hui de «maison d'amis».

Berühmte Inseln hat der Bodensee, Mainau ist weit kleiner als Reichenau und kleiner auch als Lindau – für Blumenfreunde aber ist das 45 Hektar große Eiland ohne Konkurrenz die größte. Schon 1827 pflanzte hier Fürst Esterhazy fremdländische Bäume an, seit 1930 gehört die Insel Graf Lennart Bernadotte, der sie zum Blumenparadies verwandelt hat. Rund um das Schloß, der alten Komturei des Deutschherrenordens aus dem 18. Jahrhundert, verwandelt Mainau sich von März bis Oktober in ein Blütenmeer mit eigenen Gezeiten.

The islands of Lake Constance all have their own interesting history. Mainau, which is privately owned by a member of the Swedish Royal Family, is a gardener's paradise with magnificent flowers, trees and exotic plants. Lindau was once one of the area's most important trading centres. Reichenau, the largest island, lies at the eastern end of the lake. In the 8th century, an Irish monk settled here and founded the Benedictine monastery of Mittelzell, later one of the most significant cultural centres north of the Alps. Reichenau's three oldest churches still exist.

Le lac de Constance possède des îles bien connues. Mainau est plus petite que Reichenau et Lindau, mais les amateurs botanistes s'enthousiasment pour cet îlot de 45 hectares. Déjà en 1827, le prince Esterhazy y faisait planter des espèces rares d'arbres. Depuis 1930, l'île appartient au comte Lennart Bernadotte qui l'a transformée en un paradis fleuri. De mars à octobre, une marée de fleurs entoure le château, ancienne commanderie de l'ordre teutonique du 18ème siècle.

Wenn alle Menschen dieser Erde baden gingen – und alle täten dies im Bodensee zur selben Zeit: um wieviel stiege dann nach Archimedes wohl das Wasser? Um ganze zehn Zentimeter, so groß ist der See, mit 539 Quadratkilometern nach dem Genfer See der zweitgrößte in Westeuropa, und wegen der Krümmung der Erdoberfläche vom Ufer aus in seiner Länge nie zu überblicken. Drei Länder treffen hier zusammen, die Schweiz mit drei Kantonen, Österreich mit Vorarlberg, die Bundesrepublik mit Baden-Württemberg und Bayern.

If all the people on this planet went for a swim in Lake Constance, according to Archimedes' Principle, how much would the level of the lake rise by? Just ten centimetres – that is how vast the lake is. Covering an area of 539 square kilometres, it is the second biggest lake in western Europe after Lake Geneva. Because of the Earth's curvature, you can never see from one end of it to the other. Three countries meet here: Switzerland with three cantons, Austria with the Vorarlberg province, and the Federal Republic of Germany with the states of Baden-Württemberg and Bavaria.

De combien l'eau s'élèverait-elle, selon le principe d'Archimède, si tous les gens du monde allaient se baigner en même temps dans le lac de Constance? Vu la superficie du lac, 539 kilomètres carrés, elle monterait de 10 cm! Le lac de Constance est le deuxième lac d'Europe de l'Ouest après le lac de Genève. Ses rives très découpées ne permettent pas une vue d'ensemble de toute sa longueur. Trois pays se rencontrent sur ses rives: la Suisse, l'Autriche et l'Allemagne fédérale.

Im württembergischen Ort Friedrichshafen stach 1824 das erste deutsche Dampfschiff in See, und 1908 begann Graf Zeppelin hier mit dem Bau von „fliegenden Zigarren". Lindau, die schöne Inselstadt, ist bayrisch, und das seit 1805: der Löwe auf der Hafeneinfahrt tut das jedermann kund. Zugleich ist Lindau die südlichste Stadt in der Bundesrepublik, Bregenz, auf dem Ufer gegenüber, ist schon österreichisch, das alte St. Gallen mit dem vielgerühmten Kloster, gehört schon zur Schweiz, genauso wie die ewig weißen Alpengipfel.

In 1824 the first German steamship set out from the Württemberg port of Friedrichshafen. And it was here, too, in 1908 that Count Zeppelin started building airships. The beautiful island town of Lindau has belonged to Bavaria since 1805, as is proudly indicated by the statue of the Bavarian lion at the harbour entrance. Lindau is also the Federal Republic of Germany's southernmost town. Bregenz just opposite is already in Austria. The ancient city of St. Gallen with its celebrated monastery is in Switzerland as are the snow-capped Alps in the background.

Le premier navire à vapeur allemand fut mis à l'eau en 1824 dans la ville wurtembourgeoise de Friedrichshafen. C'est là également que le comte Zeppelin commença la construction de son «cigare volant». Lindau, jolie ville sur l'île, est bavaroise depuis 1905. Le lion à l'entrée du port témoigne de sa nationalité. Bregenz, sur la rive opposée, appartient à l'Autriche et Saint-Gallen avec son cloître illustre, fait déjà partie de la Suisse, tout comme les neiges éternelles sur la cime des pics alpins.

Wie ein Traum aus Hollywood, so liegt Neuschwanstein hoch über der Pöllatschlucht. Doch nicht Walt Disney führte hier Regie, es war ein königlicher Einfall, dem Neuschwanstein seine Existenz verdankt. Der exaltierte Bayernkönig Ludwig II., ein Freund von Richard Wagner eher als ein Freund der Politik, ließ nach 1868 hier ein Schloß errichten „im echten Stil der alten deutschen Ritterburgen", wie er glaubte: ein Märchen ganz in Weiß, innen auf das prächtigste gestaltet und ausgemalt mit Motiven nach Wagner.

Situated high above the Pöllat gorge, the palace of Neuschwanstein looks like some Hollywood producer's dream. But its history goes back further than that of the silver screen. The palace was commissioned in 1868 by King Ludwig II of Bavaria, an eccentric monarch who was more interested in the music of Richard Wagner than in politics. And he ordered it to be built in the "style of the ancient German knights' castles". To Ludwig this meant a splendid fairy-tale edifice built of white stone and decorated inside with Wagnerian motifs.

Le château de «Neuschwanstein» qui se dresse au-dessus de la gorge de Pollat, évoque un décor d'Hollywood. Il n'est pourtant pas sorti de l'imagination de Walt Disney, mais de celle d'un jeune roi exalté et romantique. Louis II de Bavière, plus proche de Wagner que de la politique, fit ériger à partir de 1868 un château «dans le vrai style des anciens châteaux des chevaliers allemands». Un conte de fée tout blanc, somptueusement décoré à l'intérieur et peint de motifs wagnériens.

Linderhof im nahen Graswangtal sieht aus wie ein Kleinod des Rokoko, aufbewahrt wie eine Perle inmitten einer kunstvoll überhöhten Landschaft. Doch auch hier war Bauherr jener Ludwig, der sich am Vergangenen berauschte, weil er mit der Gegenwart nicht zurechtkam. Wer seine Traumgebilde heute sieht, mag ahnen, wie es in Bayern vor einem Jahrhundert mit der Staatsfinanz bestellt war. 1886 wurde der menschenscheue König entmündigt, und seine Minister kamen erstmals nach Neuschwanstein, um ihn von seiner Absetzung zu unterrichten.

Linderhof in the nearby Graswang valley looks like a rococo pearl embedded in a landscape that has been raised up artificially. It, too, was commissioned by King Ludwig of Bavaria who was intoxicated with the past because he could not cope with the present. Looking at his dream palaces, it is not hard to imagine the parlous financial state Bavaria was in a century ago. In 1886 the reclusive king was declared unfit to rule. His ministers paid their first visit to Neuschwanstein to inform him that he had been deposed.

Le château de «Linderhof», dans la vallée proche de la «Graswang», ressemble à un joyau baroque serti dans un paysage précieux. Louis II qui fuyait le présent, voulait un cadre dans lequel il pourrait revivre les fastes du passé. Ses folles dépenses vidèrent les caisses de l'Etat bavarois. En 1886, les ministres du roi se rendirent pour la première fois au château de «Neuschwanstein»: Ils venaient notifier sa déchéance au jeune monarque misanthrope.

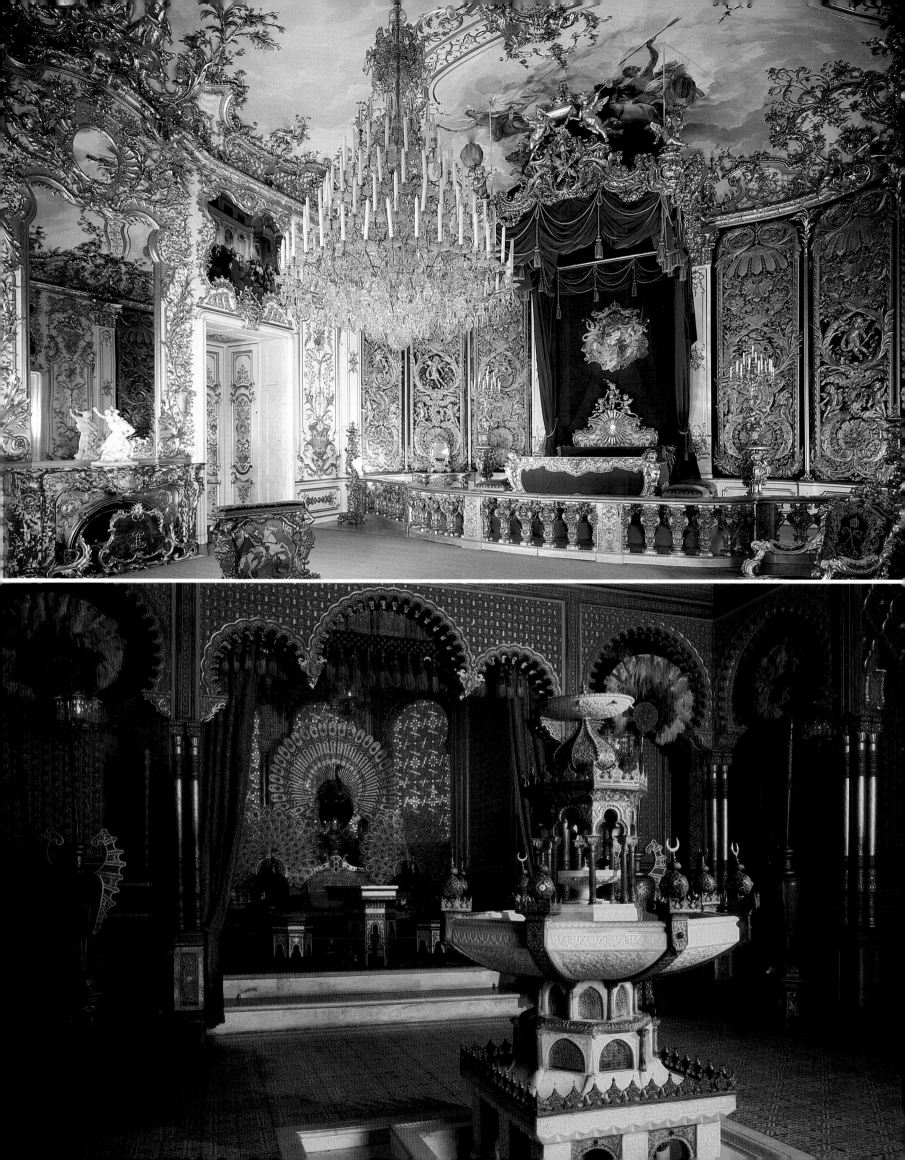

Neben den Erzeugnissen von Ludwigs Lust gibt es auch das schönste bayrische Barock im „Pfaffenwinkel", wie der Landstrich wegen seiner vielen Kirchenbauten heißt. Um 1330 hatte Kaiser Ludwig hier ein Kloster bauen lassen. Das brannte 1774 nieder und wurde nun ein zweites Mal erbaut – nun mit einer gewaltigen barocken Kuppel, die den zwölfeckigen Vorgängerbau aus der Gotik buchstäblich ins Monumentale überhöht. Im nahen Hügelland steht auch das Diadem im Kranz barocker Kirchenbauten: die Wieskirche von Dominikus Zimmermann.

In addition to the products of Ludwig's fantasy, Bavaria also has many outstanding baroque ecclesiastical buildings to offer like the monastery at Ettal. Built around 1330 by Emperor Ludwig, it burnt down in 1774 but was reconstructed and given a baroque dome which turned the former twelve-sided Gothic building into a monumental structure. Located in the hilly region nearby is a gem amongst baroque churches: the Wieskirche built by Dominicus Zimmermann.

Outre les créations de Louis II, le «coin des dévots» ainsi qu'on nomme cette contrée où pullulent les églises, abrite également de très beaux édifices baroques. En 1330, l'Empereur Ludovic de Bavière avait déjà fait construire un cloître en cet endroit. Après son incendie en 1774, il fut rebâti et surhaussé d'une impressionnante coupole baroque. Un des joyaux de l'art rococo bavarois se dresse sur une colline environnante: l'église de pélerinage de Wies bâtie par Dominikus Zimmermann.

Die Schnitzer von Oberammergau standen schon im Jahre 1520 in dem Ruf, das Leiden Christi so zierlich zu schnitzen, daß man es in einer Nußschale unterbringen konnte. Seit der Pest von 1633 bringen sie es lebensgroß zur Geltung. Sie taten ein Gelübde und spielten 1634 erstmals ihr Passionsspiel. Seit 1680 wird es alle zehn Jahre aufgeführt, früher in der Kirche, heute im eigenen Festspielgebäude, doch immer, wie sie es versprachen, mit den eigenen Leuten: Neun Sommer lang wird hart gearbeitet, im zehnten Jahr ist man Apostel.

Even in 1520 the wood-carvers of Oberammergau had the reputation of portraying Christ's Passion so delicately that it could fit into a nutshell. In 1634, in fulfilment of a vow made during an outbreak of the plague, the people of Oberammergau performed a passion play for the first time. Since 1680 it has been given at ten-year intervals. The play used to be staged in the church but now it is given in a special building. And, as they promised in their vow, the passion play is performed only by the villagers themselves who rehearse every summer for nine years.

En l'an 1520, les sculpteurs sur bois du village avaient déjà la réputation de sculpter des scènes si délicates de la Passion de Jésus-Christ qu'elles tenaient dans une coquille de noix. Après une épidémie de peste en 1633, ils firent le voeu de recréer le supplice du Christ, grandeur nature, tous les dix ans. Cette représentation de la Passion qui se déroulait autrefois dans l'église, a maintenant son propre théâtre. Les villageois, agriculteurs ou artisans, deviennent apôtres à chaque décennie.

Mittenwald am Fuß des Karwendelgebirges liegt im Schnittpunkt alter Handelswege. Nach dem blühenden Profit im Mittelalter lag die Wirtschaft später arg darnieder, bis sich einer unter ihnen nach dem Handel auf den Wandel besann: Matthias Klotz war Schüler bei Amati, dem Virtuosen unter den Geigenbauern Italiens; er brachte gegen Ende des 17. Jahrhunderts den Geigenbau nach Mittenwald. Heute gibt es eine Geigenbauerschule in der alten Stadt und ein Museum für das seltene, doch immer noch begehrte Handwerk.

Mittenwald, at the foot of the Karwendel Mountains, lies at the intersection of ancient trade routes. A period of thriving prosperity in the Middle Ages was followed by economic decline, until one of its citizens had the bright idea of changing direction. Mathias Klotz was a pupil of Amati, Italy's virtuoso violin maker, and he brought violin making to Mittenwald at the end of the 17th century. Today there's a school of violin making in the old city and a museum devoted to this rare but still highly prized craft.

Le bourg de Mittenwald, au pied de la montagne de Karwendel, est situé au carrefour d'anciennes voies de commerce. Le village connut la déchéance après la prospérité du Moyen Age jusqu'à ce qu'un de ses habitants introduise une nouvelle industrie. Matthias Klotz, élève d'Amati, un grand luthier italien, rapporta son art dans le pays à la fin du 17ème siècle. La communauté possède aujourd'hui une école de luthiers et un musée d'art artisanal.

Wer zu dem bekannten Wintersportplatz lässig „Garmisch" sagt, dem kann es passieren, daß er schief beguckt wird: Erst 1936, anläßlich der Olympischen Winterspiele, wurden die getrennten Orte Garmisch und Partenkirchen zusammengelegt. Der Kurort liegt am Nordhang des Wettersteingebirges mit Deutschlands höchstem Gipfel, der Zugspitze. 2961 Meter ist sie hoch, und es gibt viele Möglichkeiten, die letzten zweitausend Meter bis zum Gipfelkreuz zu überwinden. Als schönste Route gilt der Aufstieg durch das Höllental.

It isn't considered tactful to refer to the famous winter sports resort as simply „Garmisch". After all, it was only in 1936 that Garmisch and Partenkirchen were amalgamated, for the Winter Olympics. The resort is situated on the north slope of the Wetterstein Mountains, which includes the Zugspitze, at nearly 10,000 ft Germany's highest mountain. There are several ways of negotiating the last 6,000 ft to the summit. The most beautiful route is probably the ascent through the Höllental Valley.

On peut vous regarder de travers si vous dites Garmisch en parlant de la célèbre station de sports d'hiver. Elle s'appelle Garmisch-Partenkirchen depuis que les deux villages ont été réunis à l'occasion des sports olympiques d'hiver de 1936. La station est située sur le versant Nord du massif de «Wetterstein» que domine le plus haut sommet d'Allemagne: la «Zugspitze» (2961 mètres). La plus jolie route pour atteindre la croix qui se dresse sur son pic traverse la «Höllental».

Hamburg liegt nicht an der Küste, München nicht zwischen Bergen. Von der Doppelspitze der Frauenkirche und dem Zugspitzengipfel liegen runde neunzig Kilometer. Dennoch ist die Hauptstadt Bayerns auch das Zentrum des Voralpenlandes: ein Mittelpunkt, der selber „überall nur aus Mittelpunkten" besteht, wie der Dichter Jean Paul einmal bemerkt hat. Entstanden aus Zollstreitereien im Mittelalter, war München in Ruhe zur Bürgerstadt herangewachsen. Dann wurde Bayern Königreich am Neujahrsmorgen 1806, und damit kam die Blüte.

Hamburg isn't on the coast and Munich isn't in the mountains. From the twin towers of the Frauenkirche to the summit of the Zugspitze it's about 4,55 miles. All the same, the capital of Bavaria is also the centre of the region known as the Alpine foothills. Established as a consequence of disputes about customs levies in the Middle Ages, Munich had grown at its own pace into a city worthy of the name. Then on New Year's Day 1806 Bavaria became a monarchy and the stage was set for a period of great brilliance.

Hambourg n'est pas située sur la côte et Munich ne s'étend pas entre des montagnes. Il y a environ 90 kilomètres des clochers bulbeux de la «Frauenkirche» ou église Notre-Dame au pic de la «Zugspitze». La capitale de la Bavière est pourtant le centre des Préalpes. Et comme l'a remarqué une fois le poète Jean Paul: «Munich est une ville composée exclusivement de centres». Créée au Moyen Age après des querelles de péage, Munich s'agrandit petit à petit pour connaître la prospérité quand la Bavière fut érigée en Royaume le premier janvier 1806.

Als Ludwig I. 1825 den Bayernthron bestieg, gelobte er, aus München eine Stadt zu machen, „die Teutschland so zur Ehre gereichen soll, daß keiner Teutschland kennt, wenn er nicht München gesehen hat." Unter ihm und Max II. entstanden die Prachtboulevards, die Ludwigstraße und das Maximilianeum, dem heutigen Sitz des bayerischen Landtags. Theodor Fontane sagte, München sei „die einzige Stadt, wo Künstler leben können". Zur Zeit des zweiten Ludwig lebten allein 7000 Bildhauer und Maler in der Musen-Metropole.

When Ludwig I became King of Bavaria in 1825, he vowed that he would turn Munich into a city "which would bring such distinction to Germany that no one could claim to know this country if he weren't acquainted with Munich". Under Ludwig I and his son Maximilian II, the city's magnificent boulevards, the Ludwigstraße and the Maximilianstraße, were built, and also the Maximilianeum, today the seat of the Bavarian Parliament. In Ludwig II's time, there were no less than 7000 sculptors and painters living in this metropolis of the muses.

En montant sur le trône de Bavière en 1825, Louis Ier promit de faire de Munich une ville qui «contribuerait tant à l'honneur de l'Allemagne que personne ne pourrait dire connaître le pays s'il n'avait pas vu Munich». C'est sous son règne et celui de Max II que naquirent les somptueux boulevards, la «Ludwigstrasse» et le «Maximilianeum», siège actuel du Parlement bavarois. Théodore Fontane a affirmé de Munich «qu'elle était la seule ville où des artistes pouvaient vivre». 7000 sculpteurs et peintres y résidaient au temps de Louis II.

„Es ist hier gut sein, und wer nur eine kleine Zeit zugegen, will hier seine Wohnung bauen", bemerkte 1782 ein Chronist. Heute gilt die dritte Millionenstadt der Bundesrepublik als „Weltstadt mit Herz", sie lockt und leidet auch mit ihrem Kosenamen „Schwabylon", und als typisches Denkmal bieten sich einige an: von der Bavaria bis zu Karl Valentin. München hat zwar nicht die meisten Brauereien – die hat Köln –, doch das älteste Lebensmittelgesetz der Welt; das duldet seit 1487 im Bier „allain gersten, hopffen und wasser".

"This is an agreeable place to be, and after a little time here, one has a great desire to make it one's home", we read in a chronicle of 1782. Munich today has the reputation of being "a world metropolis with a warm heart". It's nickname "Schwabylon" – Schwabing is the nightclub and bohemian district – is both an attraction and a detraction. Munich doesn't have the largest number of breweries – that honour belongs to Cologne – but it does have the oldest pure-food law in the world, dating back to 1487 and laying down that beer shall contain "only barley, hops and water".

«Il fait bon vivre ici et celui qui a un peu de temps, y construira son logement», écrivait un chroniqueur en 1782. La deuxième ville d'Allemagne fédérale (plus d'un million d'habitants) s'est adjugé la réputation d'être une «métropole avec un coeur». Les monuments y pullulent: de celui de la Bavière à Karl Valentin. Si Munich ne possède pas le plus grand nombre de brasseries en Allemagne, elle a la plus ancienne loi sur les denrées alimentaires depuis 1487: «seulement de l'orge, du houblon et de l'eau dans la bière.»

Abseits der barocken Kirchenbauten und abseits der königlich-bayerischen Monumentalarchitektur, abseits von Hofbräuhaus und Feldherrnhalle, von Pinakothek und Deutschem Museum liegt im Westen das Barockschloß Nymphenburg, bekannt durch Ludwigs Lola Montez und sein Porzellan; im Norden der Stadt ist bis 1972 der Olympiapark aus dem Boden gewachsen, die Sportanlagen wie mit Zelten überdacht. Hier steht das neue Wahrzeichen der Stadt, der Olympiaturm, 290 Meter hoch, mit drehbarem Restaurant in 192 Meter Höhe.

To the west of the city, at some distance from the Baroque churches and the monumental architecture conceived by Bavaria's monarchs, from the Hofbräuhaus and the Feldherrnhalle (Hall of Generals), the Pinakothek (Art Gallery) and the Deutsches Museum (Science Museum), lies the Baroque palace of Nymphenburg. To the north is the Olympia Park, built for the Munich Olympics in 1972, its roofed-over sports areas looking rather like a cluster of tents. Here is the city's new landmark, the Olympia Tower, 290 metres high with a revolving restaurant at 192 metres.

A l'écart des églises baroques et des édifices royaux, de la «Hofbräuhaus», la Brasserie de la Cour et de la Pinacothèque, s'élève à l'Ouest le château baroque de «Nymphenburg» qui renferme une très belle collection de porcelaines et le portrait de Lola Montez. Depuis 1972, le Nord de la ville s'est enrichi du Parc olympique. C'est là aussi que se dresse la tour olympique de 290 mètres de haut avec un restaurant tournant à 192 mètres de hauteur.

Schon Tacitus beschrieb die Stadt als glänzend, um 1500 gar war Augsburg eines der mächtigsten Zentren des Handels nördlich der Alpen. Der Augsburger Bankier Jakob Fugger war der erste, der sagen konnte, daß Karl V. ohne seine Bank nie hätte Kaiser werden können. Der bekannteste Augsburger in unserem Jahrhundert, Bertold Brecht, griff den Gedanken wieder auf und fragte: Was ist der Einbruch in eine Bank gegen die Eröffnung einer Bank? Jetzt gilt er immer noch als schwarzes Schaf der Stadt, und Fugger wird verehrt.

Tacitus found Augsburg a splendid town. Founded by the Romans to defend the route to Rome, by 1500 Augsburg had become one of the most powerful cities in Europe. It was the home of the Fugger family, who controlled the finances – and therefore the destinies – of Emperors and Popes. The black sheep of Augsburg is Bertold Brecht, born here in 1898. He was a playwright with an unmistakably communist message and no doubt enjoyed provoking his home town when he wrote that opening a bank is even more immoral than robbing a bank.

Tacite parlait déjà de la «ville brillante». Vers 1500, Augsbourg était un des plus puissants centres commerciaux au Nord des Alpes. Jakob Fugger, un des grands banquiers de la cité fut le premier à oser dire à son empereur, Charles-Quint, qu'il ne serait jamais devenu empereur sans le soutien de sa banque. Bertolt Brecht, le plus illustre enfant de la cité durant notre siècle, se demanda qu'elle était la différence entre cambrioler une banque et en ouvrir une... Il reste la bête noire de la ville alors que Fugger est vénéré...

◁ In Ulm und um Ulm herum, wie der bekannte Zungenbrecher sagt, blühten früh der Donauhandel und die Macht im Städtebund der Schwaben. Keine Reichsstadt hatte solchen Landbesitz wie Ulm, und keine hatte eine derart demokratische Verfassung. Als die Macht am größten war, begannen sie 1377 in Ulm ein Münster. Fertig wurde es im 19. Jahrhundert und hat noch heute den höchsten Kirchturm der Welt. Höher hinaus wollte nur noch der „Schneider von Ulm", der hier im Jahre 1811 das Fliegen versuchte. Es blieb beim Versuch.

Ulm cathedral (see 171) has the distinction of being graced with the highest church tower in the world. Ulm lies on the Danube and its importance as a trading post made it into a wealthy and influential town during the 14th and 15th centuries. The first stones of Ulm cathedral were laid in 1377 when the city was at the height of its powers but it took centuries before the plans could finally be completed, and the towers were not constructed till the 19th century. Ulm's Bread Museum is unique, and illustrates the art of baking bread from the earliest times.

La ville fut très tôt un centre de commerce trés important sur le Danube. Aucune ville impériale ne possédait autant de propriétés territoriales et n'avait une constitution aussi démocratique que cette cité. La construction d'une église, le «Münster», fut commencée en 1377 alors que la ville était à l'apogée de sa prospérité. Elle se termina au 19ème siècle et a encore aujourd'hui le plus haut clocher du monde. C'est à Ulm qu'Einstein naquit en 1879.

Nürnberg ist die Stadt von Albrecht Dürer und Hans Sachs, im Reim bekannt als „Schuhmacher und Poet dazu". Im Schutz der Festung „Norimberc" waren Stadt und Bürger groß geworden, dann kauften sie die Burg und waren fortan ihre eigenen Herren. Das war 1427. In seiner „Goldenen Bulle" schrieb Kaiser Karl IV. vor, daß jeder neu gewählte Kaiser hier den ersten Reichstag abzuhalten hatte. So sah die Stadt 32 Könige und Kaiser. Als die Romantiker die Stadt wiederentdeckten, da galt sie als „des deutschen Reiches Schatzkästlein".

Nuremberg's confusion of red-roofed sandstone buildings crowd together on a hillside below the 12th century castle. In the Middle Ages the walled town was so prosperous that to contemporaries, the townspeople's houses looked like palaces. Nuremberg was the town of the mastersingers, later idealized in Wagner's opera, the birthplace of the great artist Albrecht Dürer, the home of some of Germany's greatest goldsmiths, woodcarvers and metalworkers, and a centre for early georgraphers, mathematicians and scientists. The first pocket watch was invented here.

Nuremberg est la ville d'Albrecht Dürer et de Hans Sachs, connu dans la région comme «cordonnier et poète». La ville et ses citoyens grandirent ensemble à l'abri de la citadelle Nuremberg. Les habitants achetèrent alors le fort et acquirent leur indépendance. C'était en 1427. Dans sa «Bulle d'Or», une véritable Grande Charte de l'Empire, l'empereur Charles IV dicta que chaque empereur nouvellement élu devait tenir le premier «Reichstag» dans la ville. C'est ainsi que Nuremberg vit défiler 32 rois et empereurs au cours de l'histoire.

Bamberg und Bayreuth – zwei Städte im Frankenland, die zu Zeiten mit mehr vaterländischem Pathos auch „Weihestätten der Nation" genannt worden sind. Kaiser Heinrich II, „der Heilige" genannt, rief bei der Burg der „Babenberger" ein Bistum ins Leben. So wuchsen an der Regnitz ein Bischofssitz und eine Bürgerstadt, beide verbunden durch das alte Rathaus, das im Fluß auf einer Brücke steht. Der Dom ist vor allem bekannt durch das Standbild des „Bamberger Reiters", bisweilen strapaziert als Inbegriff des deutschen Wesens zu Pferd.

Bamberg, the town on seven hills, grew up around the castle of Babenberg, The Emperor Heinrich II gave the little settlement a flying start by making it a wedding present to his bride. Heinrich also founded Bamberg's great cathedral of St Peter; he and his wife are buried there, and, surprisingly, so is a Pope. The old Town Hall enjoys an unusual situation, balanced elegantly on an island in the middle of the river between the twon and the bishop's palace. Bamberg is generally reckoned to be one of Germany's most beautiful and bestpreserved towns.

Bamberg et Bayreuth sont les deux plus grandes villes de la Haute-Franconie. En 1007, l'empereur Henri II dit le Saint, créa un évêché souverain dans la ville de Bamberg qui doit son nom aux comtes de Babenberg. Un diocèse et une ville de bourgeois se développèrent alors sur les rives de la Regnitz. L'«Altes Rathaus», le vieil hôtel de ville, se dresse entre les deux, sur une île artificielle. Le «Dom» est surtout connu pour sa statue du Chevalier de Bamberg, une des plus célèbres de l'art allemand (vers 1240).

Bayreuth ist eine alte Markgrafenstadt mit sehenswertem Altem Schloß und einem prachtvollen neuen. In aller Munde in der Welt aber ist die Stadt erst seit Wagner. „Nirgends anders, nur hier!" wollte Richard Wagner ein Festspielhaus für seine Werke bauen, am 13. August 1876 wurde es mit „Rheingold" feierlich eröffnet. Seither ist es in jedem Sommer das Mekka der Wagnerfreunde. Ein Wunderwerk des Bühnenbaus ist das Markgräfliche Opernhaus, von 1745 bis 1748 als reines Hoftheater ganz aus Holz errichtet.

Without Richard Wagner, Bayreuth would just be one more charming old German town. Wagner, however, decided that 'nowhere but here' would do for his ideal opera house and, being Wagner, he got his way. He moved to Bayreuth with his wife Cosima, Liszt's daughter, and in 1876 came the first performance, the 'Ring' cycle. In spite of hitches – bits of Siegfried's dragon sent from London were misdirected to Beirut – the opera house was an instant success. Today it is little changed, and thousands come every year to hear Wagner's operas and visit his grave.

Bayreuth est une vieille ville de margraves avec un très bel ancien château et un autre impressionnant construit à une époque ultérieure. Mais c'est Wagner qui a fait découvrir la ville au monde entier. «Ici et nulle part ailleurs!» aurait-il dit quand il s'agissait de construire un théâtre pour ses oeuvres. Le «Bühnenfestspielhaus» ou théâtre Richard Wagner fut inauguré le 13 août 1876 avec une représentation de «Rheingold». Chaque été, la ville est depuis la Mecque pour les amateurs du grand compositeur.

„Die Lage mußte eine Stadt herlocken", schrieb Goethe über Regensburg, als er vorüberkam auf seiner „Italienischen Reise". Die Lage an der Donau lockte schon die Römer, die im Jahre 179 die Stadt hier gründeten als Burg der Königin – und nicht des Regens: Castra Regina. Noch immer führt vom linken Donauufer die über 800jährige „Steinerne Brücke" in die mittelalterliche Stadt, die größte, die sich bis heute so erhalten hat. Von der „Befreiungshalle" zum Andenken an 1815 reicht der Blick hinüber bis zum Donaudurchbruch.

"The site simply had to attract a city", wrote Goethe of Regensburg when he passed through on his Italian journey. The Romans were attracted early on to the site. They founded the city in 179 A.D. as a fort for a queen: Castra Regina. The 800-year-old "Stone Bridge" still joins the left bank of the Danube with the mediaeval city, the largest of its kind to be preserved almost intact. From the "Hall of Liberation", built to commemorate the events of 1815, there is a view right across to the point where the Danube breaks through the hills.

«Un endroit idéal pour une ville», écrivit Goethe quand il traversa Ratisbonne de retour d'Italie. L'emplacement sur le Danube avait déjà attiré les Romains qui en 179, fondèrent Castra Regina, la forteresse de la reine. Le Steinerne Brücke ou vieux pont de pierre, âgé de 800 ans, traverse toujours le Danube d'une rive à l'autre. Le Befreiungshalle, la salle de la libération a été élevée en 1815 en souvenir de la lutte contre Napoléon I.

Im Dreieck zwischen Inn und Donau ist Passau gewachsen, die Altstadt auf der engen Landzunge mit dem barocken Dom St. Stephan und der größten Orgel der Welt in seinem Innern. In Passau machten die christlichen Burgunder des „Nibelungenlieds" noch einmal Rast, ehe sie ins Hunnenland zu Etzel zogen – und damit in den Untergang. Nicht zufällig scheint Passau hier erwähnt zu sein: Vermutlich saß hier in der alten Bischofsstadt auch jener Geistliche, der das Heldenlied als erster aufgeschrieben hat.

Passau lies in the triangle between the Inn and the Danube, with the old part of the town occupying a narrow spit of land and boasting the Cathedral of St. Stephen, renowned for possessing the largest organ in the world. The Christian Burgundians in the Nibelungensong made a last stop in Passau before undertaking the final stage of their (ultimately fatal) journey to visit Etzel (Attila), King of the Huns. It was probably no accident that Passau is mentioned in the poem: it may well have been that the cleric responsible for the first written version of the heroic epic lived here.

La ville dont le «Dom» baroque abrite le plus grand orgue du monde, est située sur une étroite langue de terre au confluent du Danube et de l'Ilz. Les Chrétiens des chansons des «Nibelungen» firent halte à Passau avant d'aller affronter les Huns à Etzel. La ville n'est pas mentionnée dans la légende par hasard: le moine qui le premier a écrit ces chansons de geste vivait sans doute dans l'ancien siège d'évêché.

Das Salz im Land um Berchtesgaden und Bad Reichenhall vermag vielleicht von fern an den Geruch der Meere zu erinnern. Doch läßt sich wohl ein größerer Kontrast zur Küstenlandschaft denken als die Bergwelt zwischen Königssee und Chiemsee? Hier liegt altes Kulturland mit herrlicher Architektur inmitten malerischer Berge: der Chiemsee mit dem Schloß des armen Ludwig, das ihm Versailles nach Bayern holen sollte, Ramsau mit der idyllischen Kirche, der Königssee mit der barocken Kirche St. Batholomä und dem Watzmann dahinter.

The salt in the area around Berchtesgaden and Bad Reichenhall might seem like a distant reminder of the smell of the sea. But could anyone imagine a greater contrast to the landscape of the coast than the mountain world between the Königssee and the Chiemsee? This is a country with a long history, and splendid architecture amidst picturesque mountains: Lake Chiemsee and poor King Ludwig's castle, built to bring Versailles to Bavaria; Ramsau with its idyllic church; Lake Königssee with its Baroque St. Bartholomä against the backdrop of Mt. Watzmann.

Le sel dans la contrée de Berchtesgaden et de Bad Reichenhall rappelle peut-être vaguement l'odeur de la mer. Mais peut-on imaginer un plus grand contraste entre un paysage côtier et la chaîne de montagnes majestueuses qui entourent le lac de Chiem et le «Königssee» ou lac du Roi? Le paysage et une architecture merveilleuse s'unissent étroitement: le «Chiemsee» avec le château de Louis II qui voulait voir Versailles en Bavière, Ramsau et son église idyllique et le «Königssee» agrémenté de la chapelle baroque de «Sankt-Bartholomae».

BILDNACHWEIS / mention of sources used / indication de la source

BA Huber/Garmisch	Seiten: 35(2), 39, 41, 42, 47, 82, 111, 112, 113, 121, 139 144, 148/149, 152, 154/155, 159 (oben), 160, 161, 162 (unten), 163, 165, 166/167, 168, 176(2), 177, 179(2), 180, 181 (unten), 182, 183, 184, Vorsatzseiten hinten
Horst Ziethen	Seiten: 49, 50, 51, 54, 57 (oben), 62, 63, 68, 69, 71, 72, 73, 74/75, 84/85, 92/93, 100/101, 102, 143, 147
Karl Kinne	Seiten: 76, 86, 87, 89, 95, 104, 108/109, 136, 137, 138, 145, 146, 153
BA Kinkelin	Seiten: 34, 36, 43, 120, 129, 169, 171
Archiv Horst Ziethen	Seiten: 81, 83, 88, 96, 97, 98, 99, 164
Martin Frank	Seiten: 60, 61, 64, 65, 77, 115
Michael Jeiter	Seiten: 78, 79, 80, 94, 106, 133
Landesbildstelle Rheinland-Pfalz	Seiten: 55, 56, 105, 122, Rücktitelbild
Photo Löbl-Schreyer	Seiten: 40, 130, 159 (unten), 162 (oben), 175 vordere Vorsatzseiten
Deutsche Luftbild GmbH	Seiten: 44/45, 132, 151, 170
Werner H. Müller	Seiten: 118, 131, 134, 156
Michael Mögle	Seiten: 114, 140/141, 178
H. Heinze	Seiten: 128, 157
BA Helga Lade	Seiten: 57 (unten), 119
Bertram Luftbild, München-Riem	Seiten: 58, 135, 181 (oben)
Stuttgarter Luftbild Elsässer GmbH	Seiten: 46, 123, 135, 142
Erich Justra	Seiten: 90, 91
Skylife GmbH	Seiten: 67, 70
Werner Poguntke	Seiten: 37, 59
Verlag Edmund von König	Seiten: 126/127, 150, 172/173, 174
BA Ruth Fiebrandt	Seiten: 103, 110
BA Bavaria/Foto: Hörnlein	Seite: 33
Hamburg Information GmbH	Seite: 38
Ruth Kaiser	Seite: 66
BA Rudolph	Seite: 158
Foto Gärtner, Heidelberg	Seiten: 124/125
BA Mauritius	Seiten: 116/117
ZEFA	Seiten: 152/153
Werner Otto	Seite: 107
Landesbildstelle Berlin	Seite: 48

DIE LUFTBILDER WURDEN FREIGEGEBEN:

vom Luftamt Hamburg: Seite 38 unter Nr. 649/79, Seite 44/45 unter Nr. 943/84, Seite 132 unter
Nr. 1247/77, Seite 151 unter Nr. 413722, Seite 170 unter Nr. 79/80
vom Regierungspräsident Düsseldorf: Seite 60 unter Nr. 10.560/85, Seite 61 unter
Nr. 6.255/85, Seite 64 unter Nr. 15.335/81, Seite 65 unter Nr. 5.158/84, Seite 77 unter
Nr. 10.672/85, Seite 67 unter Nr. OP 1289, Seite 70 unter Nr. OP 82883, Seite 90 unter Nr. 23 S 8,
Seite 91 unter Nr. 23 L 28, Seite 115 unter Nr. 2.674/77, Seite 122 unter Nr. 1076-8,
Bezirksregierung Rheinhessen-Pfalz: Seite 55 unter Nr. 2902-5, Seite 56 unter Nr. 7571-4,
Seite 105 unter Nr. 11728-5, Rücktitelbild unter Nr. 4028-3
vom Regierungspräsident Stuttgart: Seite 46 unter Nr. 9/62591, Seite 123 unter Nr. 9/59588,
Seite 142 unter Nr. 9/65877
vom Regierungspräsident von Oberbayern: Seite 58 unter Nr. G 4/9.669, Seite 181 unter Nr. G 4/30.908

Deutschland-Reliefkarte: Copyright by Karl Wenschow GmbH, München